CONVERSATIONAL GERMAN

French Conversation Series:

Beginners' French—An Introduction to Conversational French
Conversational French—A Course for Adults

German Conversation Series:

Beginners' German—An Introduction to Conversational German
Conversational German—A Course for Adults

Italian Conversation Series (with Ottavio Negro):

Beginners' Italian — An Introduction to Conversational Italian

CONVERSATIONAL GERMAN

A Course for Adults

JOSEPH HARVARD

ISBN 0 340 08626 3
First published 1961
Copyright © Joseph Harvard 1961
Eighth impression 1980

All rights reserved. No part of this publication may be
reproduced or transmitted in any form or by any means,
electronic or mechanical, including photocopy, recording or any
information storage and retrieval system, without permission in
writing from the publisher.

Printed in England for Hodder and Stoughton Educational,
a division of Hodder and Stoughton Ltd., London.
by Cox & Wyman Ltd., London, Reading and Fakenham

HODDER AND STOUGHTON
LONDON SYDNEY AUCKLAND TORONTO

Tape recordings of this book are
available from the Tutor Tape Company Ltd,
2 Replingham Road, London, S.W.18.
They can be inspected at their Central
London Demonstration Room, 102 Great
Russell Street, London, W.C.1

ISBN 0 340 08626 2
First published 1961
Copyright © Joseph Harvard 1961
Eighth impression 1980

Printed in Hong Kong for Hodder and Stoughton Educational,
a division of Hodder and Stoughton Ltd, London,
by Colorcraft Ltd.

PREFACE

This book is intended for those who already possess some knowledge of German and who now wish to obtain a more complete command of the spoken language. The short test on page 9 will enable students to ascertain whether they possess the elementary knowledge required to benefit from this course or whether they should start with *Beginners' German*, the first book in this series.

The ability to converse fluently in a language does not develop automatically from a study of its grammar or literature; like any other skill it can be acquired only through systematic and persistent practice. The purpose of this book is to provide suitable material for practice and to present it in the way in which it may most easily be assimilated. Each lesson commences with a short dialogue composed of sentences found in everyday conversation. These dialogues are short enough to be memorised, which is essential its fluency in the language is to be achieved. Obviously, to memorise all the sentences which a student might have occasion to use would be an impossible task; fortunately it would also be an unnecessary one, since most of the sentences given here will serve as patterns for the formation of numerous other sentences simply by the substitution of other words or word-groups of similar structure. To facilitate this process of substitution, a number of "sentence-building tables" have been compiled, in which several word-groups have been combined to give a large number of useful sentences. The student should read aloud as many combinations as possible by taking successively one entry from each column in the table, until they have become completely assimilated and each sentence can be instantly recalled.

Each sentence-building table illustrates an important construction, an irregular verb or a grammatical rule. A great deal of both oral and written practice can be based on them.

Each lesson terminates with a number of conversational idioms and set phrases, which, as they do not fit into any pattern, must be memorised separately. At the end of the book will be found additional exercises for class use and homework. Grammatical explanations in systematic form are given in the second part of the book.

Everything in this book is intended to help the student to express himself correctly and fluently in German, and any items not directly serving this end have been deliberately excluded. It is not advisable, however, for a whole lesson to be spent on intensive study. The student should devote part of his time to the extensive reading of interesting and enjoyable texts. The most suitable reading material for learning the conversational language is to be found in modern plays, films, operettas and so on, leading to the enjoyment of real German as heard on the radio and in the cinema, the theatre and the conversation of German people.

Modern colloquialisms have been largely excluded from the present book, as in the author's opinion it is the acquisition of a knowledge of the more permanent features of a language which is of primary importance. Colloquialisms are notoriously ephemeral—who uses the exclamation "wizard!" nowadays?—but on the other hand, a full understanding of present-day speech is impossible without a knowledge of some of the colloquialisms in current use.

Students have many and varied reasons for learning German; but it is certain that, no matter what their purpose may be, they will require a knowledge of the essential forms and constructions of the language, and it is these which this book attempts to teach.

J.H.

CONTENTS

ABBREVIATIONS

m.	masculine	*pl.*	plural
f.	feminine	*sep.*	separable
n.	neuter	*lit.*	literally

Numbers in heavy type refer to the corresponding grammatical
section.

The gender and plural of nouns is indicated thus : *die Tür, -en;*
Umlaut thus : *die Hand, ⁼e, der Vater, ⁼.*

If a verb is shown thus : *sehen (ie), sah, gesehen,* the form in brackets
indicates a vowel change in the 2nd and 3rd person singular. Unless
otherwise stated it is understood that the Perfect is formed with *haben.*

If only the Infinitive of a verb is given it is a regular (weak) verb.
Separable verbs are indicated thus : *anziehen, zog an, angezogen.*

Punctuation has been omitted in those sentence-building tables which
combine statements and questions, e.g. *Kommen Sie heute* could be
read as both "Come to-day" and "Are you coming to-day ?"

FLUENCY TEST

Can you say in German :

1. Do you smoke ?
2. Are you tired ?
3. What is your name ?
4. What time is it ?
5. Do you like wine ?
6. How many lumps of sugar do you take ?
7. I don't take sugar.
8. I don't like beer.
9. To-day is Tuesday, June 23rd.
10. It is five to twelve now.

If you cannot translate these ten sentences you should start with the first book in this series, *Beginners' German.*

LEKTION I

Reiseplåne[1]

Ein Gespråch[2] *am Frühstückstisch*

SIE: Wann hast du dieses Jahr deine Ferien?[3]

ER: Es ist noch unbestimmt.[4] Ich kann sie fast[5] zu jeder[6] Zeit nehmen. Warum fragst du?

SIE: Wenn wir wieder, wie letztes Jahr, in der Hauptreisezeit[7] fahren, müßten[8] wir rechtzeitig[9] ein Zimmer bestellen.[10]

ER: Ich hätte Lust[11] dieses Jahr früher[12] zu fahren. In der Hauptsaison ist alles so voll. Aber wohin? Wieder an die See?

SIE: Ich würde mal[13] gern ins Gebirge fahren. Letztes Jahr waren wir an der See, vorletztes[14] auf dem Lande. Warum nicht mal zur Abwechslung[15] ins Gebirge?

ER: Kein schlechter Gedanke.[16]

SIE: Schulzens waren letztes Jahr in Zermatt und es hat ihnen sehr gut gefallen.[17]

ER: Schulzens sind junge Leute, die mit dem Rucksack auf die steilen[18] Berge klettern.[19] Das können wir doch nicht. Wir brauchen[20] einen Ort,[21] von dem aus man nicht zu anstrengende[22] Waldspaziergänge[23] machen kann.

SIE: Weißt[24] du was? Ich werde ins Schweizer Reisebüro gehen. Die werden schon[25] das Richtige[26] wissen.[24]

---

[1] *die Reise, –n,* travel; *der Plan, ∸e,* plan, project.
[2] *das Gespräch, –e,* conversation.
[3] *die Ferien (pl.),* holidays.
[4] undecided.   [5] almost.
[6] *jeder, –e, –es,* each, every, any.
[7] main travel time; "season".
[8] ought.   [9] in time.
[10] to book.   [11] see Note I.
[12] earlier.
[13] just for once (short for *einmal*).
[14] the one before.
[15] *zur Abwechslung (f.),* for a change.

[16] *der Gedanke, –n,* thought, idea.
[17] see Note 3.   [18] steep.
[19] climb.   [20] need.
[21] *der Ort, –e,* place.   [22] strenuous.
[23] *der Wald, ∸er,* wood, forest; *der Spaziergang, ∸e,* walk.
[24] see explanation 84.*
[25] the meaning here is "I am sure."
[26] the right thing.
* All numbers in heavy type refer to the corresponding grammatical explanations in the second part of the book.

NOTES

1. There is not much difference in meaning between *ich möchte*, *ich habe Lust* and *ich würde gern*, all three expressing "I should like to," but there is a difference in construction. As shown in Fluency Practice No. 3, *ich habe Lust* requires the Infinitive with *zu*. Whereas *Lust haben* is used more in the sense of "to feel like it", *ich möchte* can be used with a direct object without a verb (e.g. *ich möchte einen Apfel*) to express what you wish to have. To say what you would like to do, either *würde gern* or *möchte* can be used.

2. The Dative case is used in answer to the question *wo ?* hence *auf dem Lande, an der See, im Gebirge*; but the Accusative is used in answer to *wohin ? : aufs Land, an die See, ins Gebirge*.

   Das Gebirge, –e, is a group of mountains, e.g. *die Alpen, die Pyrenäen, der Himalaja*.

   One can say either *wir fahren in die Berge* or *ins Gebirge*.

3. *Es gefällt mir*, I like it, lit. it pleases me. *Es hat ihnen dort gefallen*, they liked it there. For further examples see Fluency Practice No. 4, and also explanation **85**.

4. For the difference between *wissen* and *kennen* see explanation **84**.

FLUENCY PRACTICE

20, 85

1. ich er sie	würde	gern lieber am liebsten	an die See aufs Land ins Gebirge nach Österreich[1]	fahren.
wir Sie sie	würden		nach der Schweiz[2] nach Deutschland nach Frankreich nach Portugal	
du würdest ihr würdet			nach der Türkei[3]	

[1] *Österreich*, Austria.
[2] *die Schweiz*, Switzerland.
[3] *die Türkei*, Turkey.

2.

Letztes Jahr	war	ich	an der See.	**40, 57**
Vorletztes Jahr		er	auf dem Lande.	
Vor drei Jahren		sie	im Gebirge.	
Vor vielen Jahren			in Österreich.	
Vor langer Zeit[1]	waren	wir	in der Schweiz.	
		Sie	in Deutschland.	
		sie	in Spanien.	
			in Italien.	
	warst du		in der Türkei.	
	wart ihr			

[1] a long time ago.

3.

40, 62

ich habe Lust,		wieder	an die See zu fahren.
		dieses Jahr	die Schweiz zu besuchen.
er	hat Lust,	im Sommer	auf Berge zu klettern.[2]
sie		in den Ferien[1]	schwimmen zu gehen.
			Ausflüge[3] zu machen.
wir	haben Lust,		Sonnenbäder[4] zu nehmen.
Sie			
sie			
du hast Lust,			
ihr habt Lust,			

[1] (pl.) holidays.
[3] *der Ausflug, ⸚e,* excursion.
[2] to climb.
[4] *die Sonne, –n,* sun ; *das Bad, ⸚er,* bath.

4.

33, 85

Hat es	Ihnen	dort	gefallen ?[2]
	Ihrem Bruder	in Österreich	
	Ihrer Schwester	in der Schweiz	
	Ihren Eltern	in den Vereinigten Staaten[1]	

Es hat	mir	gut	gefallen.[2]
	ihm	sehr	
	ihr	ausgezeichnet	
	ihnen	nicht	
		nicht sehr	

[1] United States.
[2] see Note 3.

5.

2, 84

Kennen Sie	meinen Onkel ?
Kennst du	meine Tante ?
Kennt ihr	dieses Buch ?
Kennt sie	diesen Ort ?
Kennen Sie	diese Oper ?

| 6. | Wissen Sie,
Weißt du,
Wißt ihr,
Weiß er,
Wissen sie, | wo er wohnt ?
wie er heißt ?
wie weit es von hier ist ?
was es zu Mittag gibt ?
ob dies der richtige Weg ist ?
wann der nächste Zug fährt ? | 80, 84 |

| 7. | ich
er
sie | möchte | einen Apfel (essen*).
ein Glas Milch (trinken*).
eine Tafel Schokolade (haben*).
früh zu Bett gehen.
Briefe schreiben. | 2, 62 |
| | wir
Sie
sie | möchten | weiterfahren.[1]
heute abend tanzen gehen. | |

möchtest du
möchtet ihr

to drive on.   * can be omitted.

GREETINGS

Guten Morgen! Guten Tag! Guten Abend! Gute Nacht!

(In Southern Germany and Austria:) *Grüß Gott!*

(In Switzerland:) *Grüß Sie!*

A man may add *gnädige Frau* when speaking to a married woman or *gnädiges Fräulein* to an unmarried one. *Mein Herr* is used only by waiters, servants and shopkeepers, but several men may be addressed as *Meine Herren*, several women as *Meine Damen* and a mixed group as *Meine Damen und Herren* or *Meine Herrschaften*.

If you know a man, you may add his name (*Guten Tag, Herr Müller*), or if he is a professional man[1] or an officer[2] add to the greeting *Herr Doktor, Herr Professor, Herr Direktor, Herr Rechtsanwalt* (lawyer), *Herr Pfarrer* (vicar), *Herr General, Herr Oberst* (colonel), *Herr Major, Herr Hauptmann* (captain), *Herr Leutnant, Herr Feldwebel* (sergeant), *Herr Unteroffizier* (corporal).[3]

[1] in a wider sense than in English, including everyone who holds a certificate or diploma, including that of *Bäckermeister, Baumeister, Tischlermeister*, etc.

[2] including N.C.Os.

[3] Their wives are addressed as *Frau Doktor, Frau Professor*, etc. People of the same profession address each other as *Herr Kollege, Frau (Fräulein) Kollegin*.

LEKTION II

Im Auskunftsbüro[1]

A: FRAU HAMMOND.   B: DER AUSKUNFTSBEAMTE[2]

A: Wir wollen in den Ferien nach der Schweiz fahren, wissen aber nicht wohin. Wir sind nicht mehr die Jüngsten und suchen einen ruhigen[3] Ort, von dem aus man schöne, aber nicht zu anstrengende Spaziergänge machen kann.

B: Ziehen[4] Sie einen bestimmten Teil[5] der Schweiz vor?

A: Wir kennen die französische und die italienische Schweiz und möchten gern die deutsche Schweiz kennen lernen.[6]

B: In welcher Jahreszeit[7] dachten[8] Sie zu fahren?

A: Im Frühling. Ende Mai oder Anfang Juni.

B: Das ist wirklich[9] die beste Zeit. Hotels und Gasthöfe[10] sind nicht so voll, und die Alpenwiesen[11] sind voller Blumen.

A: Wie herrlich![12] — Könnten Sie uns einen geeigneten[13] Ort empfehlen?[14] Wir möchten gern in der Nähe[15] eines Sees[16] sein.[17]

B: Ich gebe Ihnen einige[18] illustrierte Broschüren, eine vom Berner Oberland und die andere vom Vierwaldstätter See und seiner Umgebung.[19] Darin[20] sind verschiedene[21] Orte beschrieben,[22] und in diesem Verzeichnis[23] finden Sie Hotels zu allen Preislagen[24] für jeden[25] Ort.

A: Vielen Dank.

[1] *die Auskunft, ·̈e,* information ; *das Büro, –s,* office.
[2] *der Beamte, –n,* official.
[3] *ruhig,* quiet.
[4] *vorziehen,* to prefer.
[5] *der Teil, –e,* part.
[6] *kennen lernen,* to get to know.
[7] *die Jahreszeit, –en,* time of the year, season.
[8] *denken, dachte, gedacht,* to think.
[9] really.
[10] *der Gasthof, ·̈e,* inn.
[11] *die Wiese, –n,* meadow.

[12] wonderful.
[13] *geeignet,* suitable.
[14] to recommend.
[15] *die Nähe,* neighbourhood.
[16] *der See, –n,* lake.
[17] to be.   [18] some.
[19] *die Umgebung, –en,* surroundings.
[20] in it.   [21] various.
[22] *beschreiben, beschrieb, beschrieben,* to describe.
[23] *das Verzeichnis, –se,* list.
[24] range of prices.
[25] each.

14

NOTES

1. Whereas " can, will, must, may, shall " are incomplete verbs in English, i.e. they have neither infinitive nor past participle, their German counterparts are complete verbs.
   See Fluency Practice Nos. 1 and 2, and explanation **59**.

2. *Ich konnte,* I could (I was able to), is the Imperfect of *können.*
   Ich könnte, I could (I would be able to), is the Conditional.

3.

	VERY FORMAL	POLITE	FAMILIAR
		(LESS FORMAL)	
Your husband	*Ihr Herr Gemahl*	*Ihr Gatte*	*Ihr Mann*
Your wife	*Ihre Frau Gemahlin*	*Ihre Gattin*	*Ihre Frau*

One's own husband or wife is referred to as *mein Mann* or *meine Frau.* If one refers to one's own husband or wife as *mein Herr Gemahl* or *meine Frau Gemahlin* it is done jokingly.

4. Of the two German words for holidays, *die Ferien* (pl.) means " vacation," whereas *der Feiertag, –e,* is a feast day.

FLUENCY PRACTICE

1.	ich	will	die Schweiz kennen lernen.[1]	**59, 69**
		muß	nach Österreich fahren.	
	er	soll	rechtzeitig[2] ein Zimmer bestellen.	
	sie	möchte	früh aufstehen.	
		wollte	viele Spaziergänge machen.	
		mußte	ein Wörterbuch mitnehmen.	
		sollte	auf die Berge klettern.	
			mit der Eisenbahn fahren.	
	wir	wollen		
		müssen		
	Sie	sollen		
		möchten		
	sie	wollten		
		mußten		
		sollten		

[1] *kennen lernen,* to get to know.   [2] in time.

15

2.

Können Sie	mir	einen geeigneten[1] Ort	empfehlen ?[2]
Kannst du	uns	ein gutes Hotel	
Könnt ihr	ihm	ein nicht zu teures	
	dem Herrn	Restaurant	
Könnten Sie	ihr	einen Schuhmacher	
Könntest du	der Dame	eine nicht zu teure	
Könntet ihr	ihnen	Pension	

[1] suitable.   [2] to recommend.

3.

Im Frühling	ist es in . . .	etwas[1]	kühl.
Im Sommer		oft	kalt.
Im Herbst		manchmal[2]	warm.
Im Winter		selten	heiß.
		gewöhnlich[3]	feucht.[7]
		immer[4]	sonnig.
		nie[5]	neblig.
		zu[6]	regnerisch.[8]
		nicht	windig.
		sehr	stürmisch.

[1] somewhat.   [5] never.
[2] sometimes.   [6] too.
[3] usually.   [7] damp.
[4] always.   [8] rainy.

4.

Welchen Teil[1]	der Schweiz	ziehen Sie vor ?[4]
	von Deutschland	
Ziehen Sie einen	der Gans[3]	*vor?*
bestimmten[2] Teil		

[1] *der Teil, –e,* part.   [4] *vorziehen, zog vor, vorgezogen,* to
[2] definite.   prefer.
[3] *die Gans, ̈e,* goose.

5.

Wir suchen einen Ort,	schöne Spaziergänge machen kann.
von dem aus man	eine schöne Aussicht[1] hat.
	die See sehen kann.
	auf Berge steigen kann.
	abends in die Stadt gehen kann.

[1] *die Aussicht, –en,* view.

Leave Taking

Jetzt muß ich	aber gehen.
	mich verabschieden.[1]

Auf Wiedersehen. Bis später. Bis heute Abend. Bis morgen.

TO GIVE ONE'S REGARDS TO OTHERS

Besten Gruß	an Ihren Herrn Vater.[2]
Schönen Gruß auch	an Ihren Herrn Gemahl.[2]
	an Ihren Mann.
	an Ihre Frau Mutter.[2]
	an Ihre Frau Gemahlin.[2]
	an Ihr Fräulein Tochter.[2]
	an Ihre Tochter.
	an die Kinder.
	an die ganze Familie.
	an alle.

TO WHICH YOU MAY REPLY

Danke sehr, ich werde es ausrichten.[3]

[1] *sich verabschieden*, to take leave, to say goodbye.
[2] very formal.
[3] to convey (a message).

17

LEKTION III

Die Entscheidung[1]

Am Abend studieren Hammonds die Reisebroschüren, die sie vom Auskunftsbüro erhalten[2] *haben.*

SIE: Wie wär's mit[3] Interlaken? Es liegt zwischen zwei Seen, dem Thuner See und dem Brienzer See, und scheint[4] ein geeignetes[5] Zentrum für Ausflüge[6] zu sein.

ER: Schulzens sagen, daß es ein sehr belebter[7] Fremdenort[8] ist, was für uns doch weniger in Frage kommt.[9]

SIE: Schau mal![10] Weggis am Vierwaldstätter See, zu Füßen[11] des Rigi. Ist es nicht entzückend?[12]

ER: Sehr schön, aber direkt am See. Wäre[13] es nicht besser, etwas höher hinaufzufahren, um die Aussicht[14] auf den See genießen[15] zu können?

SIE: Du hast wieder mal recht.[16] — Wie wäre es mit Beatenberg? 1000 Meter über dem Meeresspiegel[17] mit herrlicher[18] Aussicht auf den See und die dahinter[19] liegenden Berge.

ER: Es scheint sehr steil[20] zum See hinunterzugehen. Es heißt[21] hier, daß man mit der Drahtseilbahn[22] zum See hinunterfährt, um dort zu baden.[23]

SIE: Auf der anderen Seite des Sees ist ein Ort unweit[24] von Spiez,

---

[1] decision.
[2] *erhalten (ä), erhielt, erhalten,* to receive.
[3] *wie wär's mit . . .,* what about . . .
[4] *scheinen, schien, geschienen,* to seem ; to shine.
[5] suitable.
[6] *der Ausflug, ⁼e,* excursion.
[7] *belebt,* lively.
[8] *der Fremde, –n,* stranger ; *der Fremdenort, –e,* tourist resort.
[9] *es kommt weniger in Frage,* it is less suitable.
[10] *Schau mal !* Just have a look !
[11] *der Fuß, ⁼e,* foot.

[12] delightful.
[13] would.
[14] view.
[15] *genießen, genoß, genossen,* to enjoy.
[16] *recht haben,* to be right.
[17] *der Meeresspiegel,* sea-level.
[18] *herrlich,* magnificent.
[19] behind it.
[20] steep.
[21] it says.
[22] *die Drahtseilbahn, –en,* cable railway.
[23] to bathe.
[24] not far.

aber höher gelegen. Es geht aber nicht so steil hinauf wie auf der anderen Seite.

ER : Wie heißt der Ort ?

SIE : Aeschi.

ER : Wir könnten ja mal hinschreiben.

NOTES

1. *Du hast wieder mal recht*, once again you are right.

   Mal here is short for *einmal*, " once," but it is often added in colloquial German without such a precise meaning as in the last sentence of this conversation. In colloquial English words like " well, just, then," are often used without really adding anything to the meaning of what is being said, hence they are usually untranslatable into another language. Similarly, conversational German uses words like *ja, doch, mal*, as mere padding, without adding much to the meaning.

   In the sentence *wir könnten ja mal hinschreiben, mal* means " some time " whereas *ja* is added in the same way as you might say " as well " in English.

2. The difference between *hier* and *hierher* is similar to that between *wo* and *wohin*. *Hier* is used in answer to *wo*, and *hierher* in answer to *wohin*. In former times in English too, a difference was made between " where " and " whither," " here " and " hither." In modern German this difference still holds good. The same applies to *dort* (" there ") and *dorthin* (" thither ").

FLUENCY PRACTICE

14 (b), 74

1. | Es scheint | ein geeignetes Zentrum für Ausflüge | zu sein. |
	ein schöner Ort	
	eine lange Reise	
	ein interessanter Mensch[1]	
	nicht zu teuer	

[1] *der Mensch, –en*, person.

2. | Wäre es nicht | besser, | am See zu bleiben ? | 17, 76 (d) |
   | | schöner, | etwas höher hinaufzugehen ? | |
   | | interessanter, | ins Gebirge zu fahren ? | |

19

3.			
Wir könnten ja mal[1]	hingehen		**60**
Wollen Sie nicht mal[1]	hinschreiben		
Ich möchte gern	hinaufgehen		
Sonntag werden wir	hinuntergehen		
Wann werden Sie	hineingehen		
Wann wirst du	hinüberschwimmen		
Wann werdet ihr	wieder herkommen		
Wann wollen Sie	wieder heraufkommen		

[1] see Note 1.

4.				
Bitte kommen Sie	bald[1] wieder	her		**22 (b), 60**
Wir kommen		herauf		
Kommen Sie		herunter		
Kommst du		herein		
Kommt ihr		heraus		
		herüber		

[1] soon.

5.			
Wir sind	oben		
Wir bleiben	unten		**22 (a)**
Bleiben wir	drinnen		
Bleiben Sie	draußen		
Bleibt ihr	drüben		

EXPRESSIONS OF ASSENT

Ja. Jawohl. *Yes. Indeed.*
Sicherlich. ⎱
Gewiß. ⎰ *Surely. Certainly.*
Bestimmt. *Decidedly.*
Entschieden. *Definitely.*
Natürlich. *Naturally.*
Selbstverständlich. *Of course.*
Ganz recht. *Quite right.*
(Ich bin) ganz Ihrer Meinung. ⎱
(Ich bin) ganz einverstanden. ⎰ *I fully agree.*
Ich bin sehr dafür. *I am all for it.*
Wenn Sie nichts dagegen haben. *If you don't mind.*
Na schön. *Very well* (agreement given reluctantly).
Das paßt mir ausgezeichnet. *This suits me very well.*

Fraglos. ⎱
Ohne Frage. ⎰ *Without question.*
Zweifellos. ⎱
Ohne Zweifel. ⎰ *Without doubt.*
Sehr wahr. *Very true.*
Das ist wahr. *That is true.*
Sie haben recht. *You are right.*
Stimmt. *That's right.*

Ein Briefwechsel[1]

SIE: Wir fahren also[2] nach Aeschi. Einverstanden?[3]

ER: Einverstanden.

SIE: Hier ist das Verzeichnis der Hotels. Es sind drei Hotels verzeichnet.

ER: Schreiben wir an alle drei.

SIE: Ausgezeichneter[4] Gedanke.[5] Wer es gleich[6] tut, vergißt[7] es nicht. Ich werde abwaschen, während[8] du schreibst. Du brauchst[9] heute nicht abzutrocknen.

[*Er schreibt drei Briefe, ähnlich*[10] *denen, die im Anhang*[11] *abgedruckt*[12] *sind. Einige*[13] *Tage später*[14] *kommt die Antwort der Hotels an.*[15] *Alle drei Briefe sagen ungefähr*[16] *dasselbe,*[17] *nur sind die Preise etwas verschieden. Der Preisunterschied*[18] *ist jedoch*[19] *gering,*[20] *und sie wählen*[21] *das Hotel, dessen Aussehen*[22] *ihnen am besten gefällt, denn jedem der drei Briefe war ein illustrierter Prospekt beigelegt.*[23]]

ER: Wir haben noch nicht besprochen,[24] wie wir fahren. Flugzeug, Eisenbahn, Auto?

SIE: Auto? Wir haben doch keins.

[1] *der Brief, –e,* letter ; *der Wechsel* exchange.
[2] so, therefore, then.
[3] agreed.
[4] excellent.
[5] *der Gedanke, –n,* idea.
[6] at once.
[7] *vergessen (vergißt), vergaß, vergessen,* to forget.
[8] while.
[9] need.
[10] similar.
[11] *der Anhang, ⁓e,* appendix.
[12] *abdrucken=drucken,* to print.

[13] some.
[14] later.
[15] *ankommen, kam an, st angekommen,* to arrive.
[16] about, approximately.
[17] the same.
[18] *der Unterschied, –e,* difference.
[19] however.
[20] slight.
[21] *wählen,* to choose.
[22] *das Aussehen,* appearance.
[23] enclosed.
[24] *besprechen (bespricht), besprach, besprochen,* to discuss.

ER: Es gibt aber Autobesitzer,[25] die Leute[26] mitnehmen und die Kosten teilen.[27]

SIE: Es würde mir keinen Spaß[28] machen, mit fremden[29] Leuten zu fahren. Ich würde lieber fliegen. Wir sind noch nie geflogen und müssen es einmal[30] versuchen.[31]

ER: Einverstanden. Ich gehe morgen ins Büro der Schweizer Luftfahrtgesellschaft[32] und besorge[33] die Flugkarten.

[25] *der Besitzer, –*, owner.
[26] people.
[27] to share.
[28] *der Spaß, ⸗e*, fun ; *Spaß machen*, to give pleasure.
[29] strange.

[30] for once.
[31] to try.
[32] *die Luft, ⸗e*, air ; *die Fahrt, –en*, journey ; *die Gesellschaft, –en*, company.
[33] *besorgen*, to get ; to obtain.

NOTES

1. *Ich hätte* is used for " I had " in the sense of " I should have," *ich wäre* for " I was " in the sense of " I should be," and *ich könnte* for " I could " in the sense of " I should be able." (Fluency Practice Nos. 3 and 4; explanations **75** and **76** (d).)

2. When actual words like *an, ab, zu, herein, hinauf*,[1] etc., form part of a verb, they are stressed and separated from the rest of the verb in the Present Tense, the Imperfect and the Imperative, e.g.

    Der Zug kommt um 8 Uhr 30 an. (Infinitive : *ankommen.*)
    Wir gingen um 6 Uhr von Hause fort. (Infinitive : *fortgehen.*)
    Kommen Sie bitte hier herein. (Infinitive : *hereinkommen.*)

    Note that the separated part is at the end of the sentence. **(60)**

3. Nouns used in connection with *ein(e), kein(e), mein(e), dein(e), sein(e), ihr(e), unser(e), euer(e)* are replaced by the pronouns *einer, eine, eins ; keiner, keine, keins ;* etc., e.g.

    Ist das Ihr Hut ? –Ja, das ist meiner.
    Haben Sie ein Auto ? –Ich habe keins.

[1] Such compound prefixes are stressed on the second syllable.

FLUENCY PRACTICE

1.	ich	würde	gern	fliegen.		**20, 85**
	er		lieber	zu Fuß gehen.		
	sie		nicht	nach Deutschland fahren.		
			oft	mit der Eisenbahn fahren.		
	wir	würden	nie	Autotouren machen.		
	Sie		immer	auf die Berge steigen.		
	sie					

du würdest
ihr würdet

54 (g), 76 (b)

2.	ich würde	es kaufen,	wenn ich	das Geld hätte.
		dort leben,		reich wäre.
				könnte.

3.	ich	hätte	Lust	zu fliegen.	**62, 76 (b)**
	er			hinzugehen.	
	sie			hinaufzufahren.	
				zu Fuß zu gehen.	
	wir	hätten		hinüberzuschwimmen.	
	Sie			mit der Eisenbahn zu fahren.	
	sie			den Tisch abzudecken.[1]	
				abzuwaschen.	

du hättest
ihr hättet

[1] to clear the table.

76 (f), 103

4.	ich	wäre	hingegangen,	wenn	ich	Zeit gehabt hätte.
	er		heraufgekommen,		er	
	sie		heruntergefahren,		sie	
			hinübergeschwommen.			
	wir	wären	hergeflogen,		wir	Zeit gehabt hätten.
	Sie				Sie	
	sie				sie	

du wärest | du Zeit gehabt hättest.
ihr wäret | ihr Zeit gehabt hättet.

23

Aber nein. *It doesn't. It won't. It can't. It isn't. It hasn't, etc.*

Aber nein !
Nicht doch ! } *Oh, no!*

Keineswegs. *On no account.*

Durchaus nicht. *Not at all.*

Gewiß nicht. *Certainly not.*

Leider nicht. *I am afraid not.*

Nicht im geringsten. *Not in the least.*

Im Gegenteil. *On the contrary.*

Sie irren sich.
Sie sind im Irrtum. } *You are mistaken.*

(Das ist) unmöglich. *Impossible.*

Kommt (gar) nicht in Frage. *(Entirely) out of the question.*

Das möchte ich doch stark bezweifeln. *I very much doubt it.*

Darüber bin ich ganz abweichender Ansicht. *I cannot disagree more.*

Ich bin sehr dagegen. *I am very much against it.*

Das geht nicht. *That can't be done.*

Es lohnt sich nicht. *It is not worth while.*

Es hat keinen Zweck. *It's no use.*

Reisevorbereitungen

ER: Ich habe die Flugkarten.[1] Wir fahren in der Nacht. Das ist billiger. Wir fliegen[2] um zwei Uhr nachts von London ab und kommen kurz nach vier in Zürich an. Wir haben Zeit,[3] uns die Stadt[4] anzusehen[5] und können dann frühstücken und mit dem ersten Zug weiterfahren.[6]

SIE: Besser, als Tag und Nacht im Zug zu sitzen.

ER: Mit dem Flugzeug ist es eine Kleinigkeit.[7] Denk mal[8] — wir sind schneller dort als mit dem Zug[9] von London nach Bournemouth.

SIE: Unvorstellbar.[10] Nun wird es bald[11] Zeit, ans Packen zu denken.

ER: Vor allem,[12] kauf dir ein Paar derbe[13] Bergstiefel.[14] Das letzte Mal bist du mit deinen leichten Schuhen ständig[15] ausgerutscht.[16]

SIE: Wenn du mir das Geld dazu[17] gibst, gehe ich noch heute die Schuhe kaufen. Deine alten Schuhe gehen wohl[18] noch. Du kannst dir aber einen guten Bergstock[19] kaufen.

ER: Den kaufen wir doch besser dort. Warum wollen wir uns damit belasten?[20] Ich will mir aber einen Rucksack kaufen. Wir werden doch Tagesausflüge[21] machen und Proviant[22] mitnehmen.[23]

SIE: Du kannst auch den Koffer vom Boden[24] herunterholen.[25] Den

---

[1] *der Flug, ⸚e,* flight.
[2] *fliegen, flog, geflogen,* to fly.
[3] *die Zeit, −en,* time.
[4] *die Stadt, ⸚e,* town.
[5] *sich ansehen (sieht . . . an), sah . . . an, angesehen,* to have a look at.
[6] to drive on; to continue the journey.
[7] little thing; small matter; trifle.
[8] just imagine.
[9] *der Zug, ⸚e,* train.
[10] unimaginable.
[11] soon.
[12] *vor allem,* above all.

[13] *derb,* stout, solid.
[14] *der Stiefel, −,* boot.
[15] constantly.
[16] *ausrutschen* (sep.), to slip.
[17] for it.
[18] I suppose.
[19] *der Berg, −e,* mountain; *der Stock, ⸚e,* stick.
[20] to burden.
[21] *der Ausflug, ⸚e,* excursion.
[22] *das Proviant,* provisions.
[23] take with us.
[24] *der Boden, ⸚,* loft.
[25] fetch down.

alten Koffer brauchen[26] wir nicht, die beiden[27] Handkoffer
genügen.[28]

ER: Vor allem, nimm nicht wieder so viele unnütze[29] Sachen[30] mit!

[26] need.
[27] the two, both.
[28] suffice.

[29] useless.
[30] *die Sache, –n*, thing.

NOTES

1. *Ich nehme diese Sachen mit.* I take these things with me.
   Er nimmt seinen Tennisschläger mit. He takes his tennis
   racket with him.
   Sie nimmt ihr Hündchen mit. She takes her little dog with her.
   Wir nehmen Proviant mit. We take provisions with us.

   Other verbs with the prefix *mit* are :

   mitspielen, to join in playing
   mitsingen, to join in singing, etc.
   Wollen Sie mitkommen? Will you come with me (*or* with us) ?

2. *Dauern,* to last, is the verb used to express how long something
   will take, e.g. *Wie lange wird die Reise dauern?* (91)

FLUENCY PRACTICE

1. Mit dem Flugzeug | dauert es eine halbe Stunde. | **79, 80**
   Mit dem Rad | geht es schneller.
   Wenn Sie fahren, | ist es eine Kleinigkeit.[1]

[1] small matter, trifle.

2. Nun ist es aber Zeit, | ans Packen zu denken. | **62**
   | Schlafen zu gehen.
   | die Fahrkarten zu besorgen.[1]
   | den Tisch zu decken.[2]
   | uns umzukleiden.[3]
   | daß er kommt.
   | daß sie die Sachen bringt.
   | daß du dich anziehst.*
   | daß ihr euch anzieht.*
   | daß du dir den Mantel anziehst.*
   | daß ihr euch die Hüte aufsetzt.*

[1] to get (see explanation 90).
[2] to lay.

[3] to change (clothes).
* see explanation 92.

3.	ich will mir	einen Koffer kaufen.	**34, 66**
	du willst dir	die Hände waschen.	
	er will sich	die Haare schneiden lassen.[1]	
	sie	die Schuhe anziehen.	
	wir wollen uns	die Sachen packen.	
	ihr wollt euch	die Wäsche waschen lassen.[2]	
	Sie wollen sich		
	sie		

[1] have cut.   [2] have washed.

4.	Den alten Koffer	brauchen[1] wir	nicht mehr.	**2, 83**
	Den dicken Stock	brauche ich		
	Deinen Rucksack	brauchst du		
	Diese Sachen	brauchen Sie		

[1] need.

5.	Vor allem,	wasch dir das Gesicht.[1]	**34, 66**
		kauft euch derbe Wanderschuhe.	
		nehmen Sie nicht zu viel mit.	
		vergiß deinen Paß nicht.	
		vergeßt nicht zu schreiben.	
		vergessen Sie nicht, genug Geld mitzunehmen.	

[1] face.

POSSIBILITY, UNCERTAINTY, DOUBT, IGNORANCE

Wahrscheinlich. *Probably.*
Höchst wahrscheinlich. *Most likely.*
Nicht unwahrscheinlich. *Not unlikely.*
Höchst unwahrscheinlich. *Most unlikely.*
Schon möglich. *Quite possible.*
Möglicherweise. *Possibly.*
Mag wohl sein. *May well be.*
Könnte sein. *Could be.*
Scheint so. } *So it seems.*
So scheint es. }
Vermutlich. *Presumably.*
Vielleicht. *Perhaps.*
(Das ist) schwer zu sagen. *Difficult to say.*
Glauben } Sie wirklich? *Do you (really) think so?*
Meinen }

27

Sind Sie (dessen) ganz sicher ? *Are you quite sure (of it)?*
Ich bin mir (darüber) nicht ganz sicher. *I am not quite sure (of it).*
Das hängt (ganz) davon ab. *That depends.*
Nicht daß ich wüßte. *Not that I know of.*
Das weiß ich nicht (genau). *I don't know that (exactly).*
Davon weiß ich nichts. *I don't know anything about it.*
Das ist ziemlich zweifelhaft. *That is rather doubtful.*

(Ich habe) $\begin{cases} \text{keine Ahnung.} \\ \text{nicht die geringste Ahnung.} \end{cases}$ *(I have)* $\begin{cases} \textit{no idea.} \\ \textit{not the slightest idea.} \end{cases}$

Im Flugzeug

A: DIE LUFTSTEWARDESS B: HERR HAMMOND C: FRAU HAMMOND

Um 23 Uhr sind Herr und Frau Hammond reisefertig.[1] Sie rufen[2] die nächste Taxihaltestelle[3] an, und nach fünf Minuten steht ein Taxi vor ihrer Haustür. Der Taxichauffeur hilft[4] ihnen das Gepäck hinunterzutragen, und sie fahren zum Flughafen.[5] Dort wird das Gepäck gewogen.[6] Zum Glück[7] hat es kein Übergewicht.[8] Sobald[9] ihre Flugnummer aufgerufen[10] wird, gehen sie durch die Zoll-[11] und Paßkontrolle. Dann folgen[12] sie der Luftstewardeß auf den Flugplatz, wo ein viermotoriges Flugzeug der Schweizer Fluggesellschaft[13] zur Abfahrt[14] bereit[15] steht. Kaum[16] haben sie Platz genommen und sich auf Aufforderung[17] der Luftstewardeß festgeschnallt,[18] geht es los. Zuerst[19] rollt das Flugzeug über die Rollbahn,[20] dann hebt[21] es sich fast[22] unmerklich[23] und steigt[24] höher und höher. Bald haben sie die Lichter[25] der Großstadt hinter sich, und die Luftstewardeß sagt ihnen, daß sie sich losschnallen[26] dürfen. Sie geht von einem Platz zum anderen und bietet[27] Erfrischungen[28] (Bonbons und Kaugummi[29]) sowie[30] Reiselektüre[31] an.[27]

B: Haben Sie denn keine Schweizer Zeitungen?

[1] ready for the journey.
[2] anrufen, rief an, angerufen, to ring up, to phone.
[3] die Haltestelle, –n, stopping-place.
[4] helfen (i), half, geholfen, to help.
[5] der Hafen, ∸, port, harbour.
[6] wiegen, wog, gewogen, to weigh.
[7] zum Glück, fortunately.
[8] das Gewicht, –e, weight.
[9] as soon as.
[10] aufrufen, rief auf, aufgerufen, to call out.
[11] der Zoll, ∸e, customs.   [12] follow.
[13] der Flug, ∸e, flight, flying; die Gesellschaft, –en, company.
[14] die Abfahrt, –en, departure.
[15] bereit, ready, prepared.
[16] hardly.

[17] die Aufforderung, –en, request.
[18] sich festschnallen (scp.), to fasten one's safety-belt.
[19] first.
[20] runway.
[21] heben, hob, gehoben, to lift.
[22] almost.
[23] unnoticeable.
[24] steigen, stieg, gestiegen, to rise, to climb.
[25] das Licht, –er, light.
[26] to unstrap.
[27] anbieten, bot an, angeboten, to offer.
[28] die Erfrischung, –en, refreshment.
[29] das Kaugummi, chewing gum.
[30] as well as.
[31] die Lektüre, –n, literature; reading matter.

A : Aber gewiß. *Die Züricher Zeitung, Die Weltwoche, Er und Sie,* eine illustrierte Wochenzeitschrift.[32] Ich lasse[33] ihnen alle drei.

B : Vielen Dank. Wir werden kaum Zeit haben, all das auszulesen.[34]

C : Ich habe keine Lust zum Lesen. Ich schaue lieber aus dem Fenster.

B : Bald fliegen wir über den Wolken und dann gibt's[35] nichts mehr zu sehen.

[*Bald darauf bietet die Luftstewardeß heiße Getränke,*[36] *belegte Brote*[37] *und Gebäck*[38] *an. Hammonds nehmen Kaffee und Kuchen.*]

C : Der Kaffee ist vorzüglich.[39]

B : Ja, ganz[40] ausgezeichnet.[41]

A : Noch[42] eine Tasse ?

C : Gern. [*Nachdem*[43] *die Luftstewardeß eingegossen*[44] *hat.*] Danke schön.

B : Der Kaffee ist ausgezeichnet, ich trinke aber nie mehr als eine Tasse. Der Arzt[45] hat es mir verboten.

C : Ob[46] wir schon über den Kanal[47] sind ?

B : Siehst du das Licht da unten ? Das ist wohl ein Leuchtturm[48] an der französischen Küste.[49]

C : Wie fühlst[50] du dich ?

B : Sehr gut. Es ist viel angenehmer[51] als ich es mir vorgestellt[52] hatte.

C : Angenehmer noch[53] als Auto fahren. Man gleitet[54] so glatt[55] dahin.[56]

[32] *die Woche, −n,* week ; *die Zeitschrift, −en,* periodical.
[33] *lassen* (*läßt*), *ließ, gelassen,* to leave.
[34] *auslesen* (sep.), to finish reading.
[35] *es gibt,* there is.
[36] *das Getränk, −e,* drink.
[37] *ein belegtes Brot,* sandwich.
[38] *das Gebäck,* general term comprising buns, cakes and pastries.
[39] first-rate.
[40] *ganz,* quite.
[41] excellent.
[42] *noch ein(e),* another.
[43] after.

[44] *eingießen, goß ein, eingegossen,* to pour out.
[45] *der Arzt, ∸e,* doctor.
[46] (I wonder) if . . .
[47] i.e. *der Ärmelkanal,* the English Channel.
[48] *der Leuchtturm, ∸e,* lighthouse.
[49] *die Küste, −n,* coast.
[50] *sich fühlen,* to feel.
[51] *angenehm,* pleasant.
[52] *sich vorstellen* (sep.), to imagine.
[53] still.
[54] *gleiten, glitt, geglitten,* to glide.
[55] smoothly.
[56] along.

1. Distinguish between *ich werde holen* (Future, active voice) and *ich werde geholt* (Present Tense, passive voice). See Fluency Practice Nos. 3 and 4.
   The Future of the passive is *ich werde geholt werden*. **(58)**

2. Distinguish also between *geworden*, the past participle of *werden*, " to become," and *worden*, the past participle of the auxiliary.

3. *zum Glück* or *glücklicherweise*, fortunately.
   leider or *unglücklicherweise*, unfortunately.
   Glück haben, to be lucky.
   kein Glück haben, to be unlucky.
   glücklich sein, to be happy.
   unglücklich sein, to be unhappy. **(19)**

4. *Sich vorstellen* is a reflexive verb where the reflexive pronoun is in the Dative case **(66)** :
   e.g. *Ich habe es mir anders vorgestellt.*
   I imagined it differently.
   Stellen Sie sich bloß mal vor, was mir passiert ist.
   Just imagine what happened to me.

FLUENCY PRACTICE

1.

Wie fühlst du dich ?		Ich fühle mich	wohl.	**34, 66**
Wie fühlen Sie sich ?		Wir fühlen uns	ausgezeichnet.[2]	
Wie fühlt ihr euch ?			einigermaßen.[3]	
Wie fühlt sich Ihr Vater ?	Er	fühlt sich	nicht ganz[4] wohl.	
Wie fühlt sich Ihre Mutter ?	Sie		miserabel.	
Wie fühlen sich Ihre Geschwister ?[1]		Sie fühlen sich	krank.	

[1] brothers and sisters.
[2] excellent(ly).
[3] so-so.
[4] quite.

62, 68

2.

Der Taxichauffeur	hilft	mir	das Gepäck	hinaufzutragen.
Der Portier[1]		dir	die Sachen	hinunterzutragen.
Der Träger[2]		euch	den Koffer	hereinzubringen.
		ihm		hinauszutragen.
		ihr		
		ihnen		

[1] hotel porter.
[2] station porter.

3.

er	wird	mir	helfen.
sie		dir	schreiben.
		euch	bald antworten.
Sie werden		Ihnen	dafür danken.
du wirst		ihm	dahin folgen.
ihr werdet		ihr	die Sache erklären.
		ihnen	

4.

58, 61
werden.

ich werde		gewogen[1]
du wirst		mit dem Auto zum Flughafen gebracht
		allein gelassen[2]
er	wird	hingefahren
sie		oft besucht
es		mit einem Taxi abgeholt
		angerufen[3]
wir werden		operiert
ihr werdet		
sie werden		

[1] *wiegen, wog, gewogen*, to weigh.   [3] *anrufen, rief an, angerufen*, to ring
[2] left alone.   up.

5.

54 (f), 61

ich	würde	abgeholt	werden.
er		hingebracht	
sie		angerufen	
es		gewogen	
		operiert	
wir	würden		
Sie			
sie			

6.

61, 64

ich bin		abgeholt	worden.
du bist		hingebracht	
		hingefahren	
er	ist	angerufen	
sie		besucht	
es		gewogen	
		eingeladen[1]	
wir	sind	operiert	
Sie			
ihr seid			

[1] *einladen, lud ein, eingeladen*, to invite.

Astonishment, Surprise

Wirklich ? ⎫
Tatsächlich ? ⎬ *Really?*

Nicht möglich ! ⎫
Unglaublich ! ⎬ *Unbelievable.*

Was Sie nicht sagen.	*You don't say so.*
Ach was!	*Fancy that.*
Na, so etwas !	*Well, I never !*

So. ⎫
So ? ⎪
So ! ⎬ *Expresses with varying intonations and in various degrees*
So !! ⎪ *of emphasis mild interest, astonishment, approval, agree-*
So !!! ⎭ *ment, indignation, protest, irony.*

TO SAY THAT YOU DON'T MIND

Es ist mir (ganz) egal. *It is (quite) the same to me.*
Ich habe nichts dagegen. *I don't mind.*
Wenn Sie nichts dagegen haben. *If you don't mind.*

LEKTION VII

Die Ankunft[1]

A: EIN KELLNER[2] B: EIN EISENBAHNBEAMTER[3]
C: HERR HAMMOND D: FRAU HAMMOND

[*Pünktlich*[4] *um* 3 *Uhr* 45 *kommt das Flugzeug auf dem Züricher Flugplatz an, wo die schweizer Zoll- und Paßkontrolle stattfindet.*[5] *Da niemand etwas zu verzollen*[6] *hat, und auch niemand aufgefordert*[7] *wird, einen Koffer aufzumachen,*[8] *geht es sehr schnell. Ein Omnibus steht bereit und bringt sie in zwanzig Minuten zum Hauptbahnhof.*[9] *Das ausgezeichnete Bahnhofsrestaurant ist Tag und Nacht geöffnet und sie beschließen,*[10] *dort zu frühstücken.*]

A: Wünschen die Herrschaften[11] ein schweizer oder ein englisches Frühstück ?

C: Was verstehen[12] Sie unter einem schweizer Frühstück ?

A: Tee oder Kaffee mit Brötchen, Butter und Konfitüre oder Honig.[13]

C: Das ist genau,[14] was wir wollen. Also zweimal schweizer Frühstück mit Kaffee, bitte.

A: Sehr wohl, die Herrschaften.

[*Teller und Untertassen stehen bereits*[15] *auf dem Tisch. Der Kellner bringt frische Brötchen, Butter, Konfitüre, sowie*[16] *heiße Tassen, eine Kanne Kaffee und einen Krug heiße Milch. Er gießt ein.*]

D: Ganz wenig Milch für mich bitte. Das genügt.[17]

---

[1] arrival.
[2] waiter.
[3] railway official.
[4] punctually.
[5] *stattfinden, fand statt, stattgefunden*, to take place.
[6] to declare.
[7] *auffordern* (sep.), to request.
[8] *aufmachen* (sep.), to open.
[9] *Haupt-*, main, principal.

[10] *beschließen, beschloß, beschlossen*, to decide.
[11] see Note 3.
[12] *verstehen, verstand, verstanden*, to understand.
[13] *der Honig*, honey.
[14] exactly.
[15] already.
[16] as well as.
[17] *genügen*, to suffice.

34

C: Halb und halb für mich bitte.

D: Der Kaffee ist hier so gut wie der im Flugzeug.

C: Und die Brötchen so knusprig.[18]

D: Diese Kirschenkonfitüre ist ganz vorzüglich.[19]

[*Es schmeckt*[20] *ihnen ausgezeichnet und nach dem Frühstück gehen sie in die Bahnhofshalle, um sich nach den Zügen zu erkundigen.*[21]]

[18] crisp.
[19] excellent.

[20] *schmecken*, to taste (see Note 4).
[21] *sich erkundigen*, to enquire.

Am Fahrkartenschalter[1]

C: Wann geht der erste Zug nach Spiez ?

B: Um 6 Uhr 23 vom Bahnsteig[2] Nr. 5.

C: Geben Sie mir bitte zwei zweiter Klasse nach Spiez.

B: Einfach[3] oder hin und zurück ?[4]

C: Einfach, bitte. Vielleicht[5] fahren wir eine andere[6] Strecke[7] zurück. Was macht das ?

B: Zwanzig Franken gewöhnlich,[8] zehn auf Ferienbillet.[9]

C: Das ist ja ein erheblicher[10] Preisunterschied.[11] Natürlich nehme ich Ferienbillets.

B: Sie kosten 20 Franken pro-Person und berechtigen[12] Sie zu Preisermäßigung[13] für fünf Fahrten nicht nur auf der Schweizer Bundesbahn,[14] sondern auch auf Postautos, vielen Bergbahnen, und Dampfern.[15] Wenn Sie gleich[16] Rückfahrkarten nehmen, rechnet[17] es nur als eine Fahrt.

[1] *der Schalter, –,* booking office.
[2] *der Bahnsteig, –e,* platform.
[3] single.
[4] *hin und zurück,* there and back.
[5] perhaps.
[6] other.
[7] *die Strecke, –n,* line.
[8] ordinary.
[9] *das Billet, –s, die Fahrkarte, –n,* ticket.

[10] *erheblich,* considerable.
[11] *der Unterschied, –e,* difference.
[12] entitle.
[13] *der Preis, –e,* price ; *die Ermäßigung, –en,* reduction.
[14] *Bundes-,* federal.
[15] *der Dampfer, –,* steamer.
[16] straightaway.
[17] *rechnen,* to count.

35

C: Dann nehme ich doch lieber Rückfahrkarten.

B: Das macht also 40 Franken für die Ferienbillets und 20 für zwei Rückfahrten nach Spiez : 60 Franken insgesamt.

[Da sie noch über eine Stunde bis zur Abfahrt[18] des Zuges Zeit haben, lassen sie das Gepäck in der Gepäckaufbewahrung[19] und machen einen Spaziergang[20] durch die Stadt. Sie gehen durch die Bahnhofstraße, eine elegante Geschäftsstraße, in der sie die Schaufenster[21] bewundern.[22] Die Bahnhofstraße führt zum Züricher See, von dessen Ufer[23] man eine herrliche[24] Aussicht[25] auf den See und die dahinterliegenden[26] Berge genießt.[27]]

[18] *die Abfahrt, –en,* departure.
[19] cloak-room, left-luggage office (*f.*).
[20] walk.
[21] *das Schaufenster, –,* shop-window.
[22] admire.
[23] *das Ufer, –,* bank.

[24] magnificent.
[25] *die Aussicht, –en,* view.
[26] *dahinter,* behind it ; *liegen, lag, gelegen,* to lie.
[27] *genießen, genoß, genossen,* to enjoy.

NOTES

1. *Ein Krug voll heißer Milch.*
   Eine Fahrkarte zweiter Klasse.
   As both *Milch* and *Klasse* are feminine and neither *der, einer* nor similar words precede, the *-er* ending is added to the adjective. (For endings of adjectives see explanation **14.**)

2. *der Beamte,*   official   *ein Beamter*
   der Angestellte,   employee   *ein Angestellter*
   der Reisende,   traveller   *ein Reisender*
   der Deutsche,   German   *ein Deutscher*
   These nouns, which are derived from adjectives, take the usual endings of adjectives.

3. *Die Herrschaften* comprises ladies and gentlemen. It is chiefly used by waiters, hotel staff, etc.

4. The verb *schmecken,* " to taste," is used to express approval or disapproval of what one is eating or drinking. See explanation **85.**

5. For the difference between *aber* and *sondern* see explanation **105.**

1. Sie beschließen,[1]   dort zu frühstücken.   **62**
   Sie haben beschlossen,   eine Woche dort zu bleiben.
        mit dem ersten Zug weiterzufahren.
        einen Spaziergang durch die Stadt zu
                          machen.

beschließen, beschloß, beschlossen, to decide.

2.

Der Kaffee	ist	hier	ebenso[1] gut	wie	dort.	**17**
Das Essen		heute	nicht so gut		gestern.	
		diese			vorgestern.	
Die Brötchen	sind	Woche	besser	als	letzte Woche.	
Die Äpfel			schlechter			

[1] just as.

85

3.

Wie	Ihnen	der Kaffee ? Er	schmeckt	mir gut.
schmeckt	Ihrem Mann	die Suppe ? Sie		ihm sehr gut.
	Ihrer Frau	das Brot ? Es		ihr ausge-
	Ihren			zeichnet.
	Kindern			ihnen nicht.
	euch			

72

4.

Wie hat es	Ihnen	geschmeckt ?		mir	gut	geschmeckt.
	ihm		Es hat	ihm	sehr	
	ihr			ihr	ausge-	
	dir			uns	zeichnet	
	euch			ihnen	nicht	
	ihnen					

5.

Wenn	Sie ein Ferienbillet haben,	ist es billiger. **80**
	wir länger bleiben,	gibt es eine Ermäßigung.
	Sie eine Rückfahrkarte	ist es nicht so teuer.
	nehmen,	ist es ebenso teuer.
	Sie gleich[1] bezahlen,	kostet es dasselbe.[2]

[1] at once.   [2] the same.

THANKS

Danke. Danke sehr. Danke schön. Danke bestens. Besten Dank. Vielen Dank. Herzlichen Dank. Sehr liebenswürdig[1] (von Ihnen). Ich danke Ihnen vielmals. Ich bin Ihnen sehr dankbar.[2] Wie soll ich Ihnen danken?

Ich danke Ihnen	sehr	für	das schöne Geschenk.[3]
	herzlichst		den schönen Abend.
	vielmals		die liebenswürdige Einladung.[4]

REPLIES TO THE ABOVE

Bitte sehr. Bitte schön. Keine Ursache.[5] Nichts zu danken. Es war mir ein Vergnügen.[6]

[1] kind.
[2] grateful.
[3] present.
[4] invitation.

[5] "Don't mention it" (lit. "no cause," i.e. to thank me).
[6] pleasure.

LEKTION VIII

Die Eisenbahnfahrt

A: ERSTER REISENDER   B: ZWEITER REISENDER
C: HERR HAMMOND   D: FRAU HAMMOND   E: EIN SCHAFFNER[1]

[Auf den Bahnhof zurückgekehrt,[2] erkundigen[3] sie sich von welchem Bahnsteig[4] ihr Zug abfährt[5] und holen[6] ihr Gepäck von der Gepäckaufbewahrung. Der Zug steht schon da. Sie steigen[7] in einen Wagen zweiter Klasse ein, finden zwei Fensterplätze in einem leeren[8] Raucherabteil[9] und legen das Gepäck ins Gepäcknetz.[10] Das Abteil füllt[11] sich allmählich[12] und zwei junge Leute[13] mit riesigen[14] Rucksäcken steigen ein. Herr Hammond hilft ihnen, die Rucksäcke ins Gepäcknetz zu heben.[15]]

A: Sehr liebenswürdig[16] von Ihnen. Vielen Dank.

C: Keine Ursache.[17]

A: Fahren Sie auch nach Luzern?

C: Nein, wir fahren weiter[18] ins Berner Oberland.

B: Wir wollen über den Vierwaldstätter See fahren und dort auf die Berge steigen.

C: Woher[19] kommen Sie, wenn ich fragen[20] darf?

A: Wir sind aus Köln.

B *[zu Herrn Hammond]*: Darf ich Ihnen eine Zigarette anbieten?[21]

---

[1] *der Schaffner, –,* guard (on railway); conductor (on bus).
[2] *zurückkehren* (sep.), to return.
[3] *sich erkundigen,* to enquire.
[4] *der Bahnsteig, –e,* platform.
[5] *abfahren (fährt ab), fuhr ab, ist abgefahren,* to leave, to depart.
[6] fetch.
[7] *einsteigen, stieg ein, ist eingestiegen,* to get in.
[8] *leer,* empty.
[9] *der Raucher, –,* smoker; *das Abteil, –e,* compartment.
[10] *das Netz, –e,* net, rack.

[11] *sich füllen,* to fill.
[12] gradually.
[13] *Leute* (pl.), people.
[14] *riesig,* huge, gigantic; (*der Riese, –n,* giant).
[15] to lift.
[16] kind.
[17] *Keine Ursache!* Don't mention it! (*die Ursache, –n,* cause, reason).
[18] further.
[19] from where.
[20] to ask.
[21] *anbieten, bot an, angeboten,* to offer.

39

C: Danke, sehr liebenswürdig von Ihnen. Ich ziehe[22] aber meine Pfeife[23] vor.

B [*zündet*[24] *sich eine Zigarette an*] : Mein Freund hier ist Nichtraucher. Ich wünschte, ich wäre[25] es auch. Ich habe schon oft versucht,[26] das Rauchen aufzugeben,[27] fange[28] aber immer wieder an. Glauben Sie, daß es ein Mittel[29] dafür gibt ?

A: Ja, da gibt es nur eins: Willenskraft.[30]

[*Inzwischen*[31] *ist der Zug abgefahren. Zuerst*[32] *geht es durch Vororte*[33] *Zürichs an Villen vorbei.*[34] *Dann fahren sie durch dunkle*[35] *Tannenwälder,*[36] *und die Landschaft*[37] *wird immer*[38] *gebirgiger.*[39] *Bald fahren sie durch einen langen Tunnel.*]

E: Die Fahrkarten bitte. [*Zu Herrn Hammond*] Sie müssen in Luzern umsteigen.[40]

C: Wann kommen wir in Luzern an ?[41]

E: Um 7 Uhr 48.

C: Und wie lange haben wir dort Aufenthalt ?[42]

E: Sie könnten gleich[43] mit dem Personenzug[44] weiterfahren oder um ein Viertel zehn mit dem Schnellzug.[45]

D: Dann könnten wir uns ja vielleicht noch die Stadt ansehen,[46] und ich könnte mir ein paar Schuhe kaufen.

C: Die Geschäfte[47] werden aber noch geschlossen[48] sein.

D: Wie schade ![49]

---

[22] *vorziehen, zog vor, vorgezogen,* to prefer.
[23] *die Pfeife, —n,* pipe.
[24] *anzünden* (sep.), to light.
[25] I were (see explanation **76 (b)**).
[26] *versuchen,* to try.
[27] *aufgeben (gibt auf), gab auf, aufgegeben,* to give up.
[28] *anfangen (fängt an), fing an, angefangen,* to start.
[29] *das Mittel, —,* means.
[30] *der Willen,* will ; *die Kraft, ∸e,* strength, power.
[31] meanwhile.
[32] at first.
[33] *der Vorort, —e,* suburb.
[34] *vorbeigehen* (sep.), to pass by.
[35] *dunkel,* dark.
[36] *die Tanne, —n,* fir ; *der Wald, ∸er,* wood.
[37] *die Landschaft, —en,* landscape.
[38] see Note 2.
[39] *gebirgig,* mountainous.
[40] change.
[41] *ankommen* (sep.), to arrive.
[42] *der Aufenthalt, —e,* stop (i.e. how long do we stay there ?).
[43] at once.
[44] *der Personenzug, ∸e,* slow train.
[45] *der Schnellzug, ∸e,* fast train.
[46] *sich ansehen* (sep.), to have a look at.
[47] *das Geschäft, —e,* business, shop.
[48] *schließen, schloß, geschlossen,* to shut.
[49] *wie schade!* What a pity!

1. *Lassen,* " to let ", added to another infinitive expresses " to have something done," e.g. *das Gepäck zur Bahn bringen lassen,* to have the luggage taken to the station.

2. *immer gebirgiger,* more and more mountainous.
immer größer, larger and larger.
immer schöner, more and more beautiful.

3. *Steigen (stieg, gestiegen)* is " to climb " in the sense of " to go uphill " ; *klettern* is " to clamber."

FLUENCY PRACTICE

64, 80

1.

Auf den Bahnhof	zurück-	erkundigen	wann der Zug abfährt.
Von ihrem	gekehrt,	sie sich,[1]	ob Post gekommen ist.
Spaziergang		fragen sie,	was es zu essen gibt.
Von der Stadt		sehen sie nach,[2]	wann der nächste
Nach Hause			Zug ankommt.
Ins Hotel			

[1] *sich erkundigen,* to enquire.   [2] *nachsehen* (sep.), to have a look.

2.

Darf ich Ihnen	eine Zigarette	anbieten ?[1] 59, 73
	eine Tasse Kaffee	
	ein Stück Schokolade	
	etwas zu essen	

[1] *anbieten, bot an, angeboten,* to offer.

3.

Ich ziehe	meine Pfeife	vor. 60, 69
	Rotwein	
	schwarzen Kaffee	
	moderne Literatur	
	klassische Musik	

4.

Ich wünschte, ich wäre	in Paris. 76 (d), 77
	auch Nichtraucher.
	Millionär.
	zu Hause geblieben.
	nicht hergekommen.

41

5. | Gibt es | ein Mittel | um sich das Rauchen abzugewöhnen ?
   Kennen Sie | | gegen Kopfschmerzen ?
   | | gegen die Seekrankheit ?
   | | um schnell reich zu werden ?

6. ich könnte mir | die Stadt anschauen.[1]   **76 (b), 66**
   du könntest dir | ein paar Schuhe kaufen.
   ihr könntet euch | die Schuhe reparieren lassen.
   wir könnten uns | das Gepäck ins Gepäcknetz heben lassen.
   er könnte sich | das Frühstück auf dem Zimmer servieren
   sie könnte sich | lassen.
   Sie könnten sich | die Sachen waschen lassen.

[1] (*sep.*) to have a look at.

7. Sehen Sie diesen | Herrn ?   **11 (e), 26**
   Gehen Sie mit diesem | Jungen ?
   Ist dies die Adresse dieses | Soldaten ?
   Kennen Sie diesen | Studenten ?

APOLOGIES

Verzeihung.[1] Verzeihen Sie.[2] Ich bitte um Verzeihung.[3] Ich bitte um Entschuldigung.[4]

Es tut mir (schrecklich) leid,[5]	daß ich	mich verspätet[8] habe.
Ich bedaure sehr,[6]		Sie warten ließ.[9]
Ich bin ganz untröstlich[7] darüber,		Sie gestört[10] habe.

REPLIES TO THE ABOVE

Bitte. Bitte sehr. Das macht nichts. (Das) hat nichts zu sagen.

[1] sorry.
[2] excuse me.
[3] I beg your pardon.
[4] I apologise.
[5] I am (terribly) sorry.
[6] very much regret.
[7] inconsolable.
[8] *sich verspäten*, to be late.
[9] *warten lassen*, to keep waiting.
[10] *stören*, to disturb.

Mittagessen im Bahnhofsrestaurant

A: HERR HAMMOND   B: FRAU HAMMOND
C: EIN VORÜBERGEHENDER[1]   D: EINE KELLNERIN[2]

[*In Spiez angekommen, erkundigten*[3] *sie sich nach der Abfahrtszeit des nächsten Postautos nach Aeschi. Das nächste fuhr kurz nach zwei, also zu spät um rechtzeitig*[4] *zum Mittagessen im Hotel zu sein. Daher*[5] *entschlossen*[6] *sie sich, wieder ihr Gepäck auf dem Bahnhof zu lassen und in die Stadt zu gehen. Gegenüber*[7] *dem Bahnhof hielt die Straßenbahn, die zur Stadt fährt. Sie gingen zu Fuß, um nach der langen Eisenbahnfahrt die Glieder*[8] *zu strecken.*[9]

Nachdem[10] *Frau Hammond sich die Schaufenster der Schuhgeschäfte angesehen hatte, aber noch immer nicht das fand, was sie suchte,*[11] *fragten sie nach einem Restaurant.*]

A: Verzeihung,[12] könnten Sie uns ein Restaurant empfehlen,[13] wo man gut und preiswert[14] zu Mittag essen kann?

C: Gehen Sie ins Bahnhofsrestaurant. Ich kann es bestens empfehlen. Sie werden nirgends[15] billiger so gut speisen können.

A: Die Bahnhofsrestaurants in der Schweiz scheinen[16] sehr gut zu sein. Wir haben schon gute Erfahrungen[17] in Zürich gemacht.

B: Wir hätten auf dem Bahnhof bleiben[18] sollen und das Geld für die Gepäckaufbewahrung sparen[19] können.

A: Da hast du wieder mal recht.[20]

---

[1] a passer-by.
[2] waitress.
[3] *sich erkundigen*, to enquire.
[4] in time.
[5] therefore.
[6] *sich entschließen, entschloß sich, hat sich entschlossen*, to make up one's mind.
[7] opposite (followed by the Dative case).
[8] *das Glied, –er*, limb.
[9] to stretch.

[10] after.
[11] *suchen*, to look for.
[12] excuse me.
[13] *empfehlen, (empfiehlt), empfahl, empfohlen*, to recommend.
[14] *der Preis, –e*, price; *wert*, worthy.
[15] nowhere.
[16] seem.
[17] *die Erfahrung, –en*, experience.
[18] *bleiben, blieb, geblieben*, to stay.
[19] to save.
[20] see Lektion III, Note 1.

[*Sie nehmen im Bahnhofsrestaurant Platz und studieren die Speisekarte.*]

A: Es gibt[21] Menüs zu verschiedenen[22] Preisen und eine große Auswahl[23] *à la carte*.

B: Woraus besteht[24] das Menü?

A: Es gibt Erbsensuppe,[25] Kalbsbraten[26] und Kompott[27] für vier Franken fünfzig und Hühnerbraten[28] mit Speck[29] zu sechs Franken fünfundzwanzig.

B: Essen wir lieber *à la carte!* Im Hotel sind wir mit voller Pension und werden essen müssen, was es gibt. Auch habe ich keinen großen Appetit. Nimmst du das Menü?

A: Sehen wir mal, was es *à la carte* gibt.

B: Es gibt hier Speisen, deren[30] Namen mir unbekannt sind. Weißt du was „Schübli" sind?

A: Keine Ahnung.[31] Fragen wir die Kellnerin. [*Zur Kellnerin*] Wir sind hier fremd,[32] können Sie uns bitte sagen was „Schübli" sind?

D: Das sind Kochwürste.[33] Sie schmecken[34] sehr gut mit Salat.

A: Also zweimal Schübli mit Kartoffelsalat,[35] und eine Flasche vom hiesigen[36] Wein.

B: Du bist ja heute so großzügig![37]

[21] *es gibt*, there is, there are.
[22] *verschieden*, different.
[23] *die Auswahl*, *-en*, selection.
[24] *bestehen (aus)*, *bestand, bestanden*, to consist (of).
[25] *die Erbse*, *-n*, pea; *die Suppe*, *-n*, soup.
[26] *das Kalb*, *¨er*, calf, veal; *der Braten*, joint, roast.
[27] stewed fruit.
[28] *das Huhn*, *¨er*, chicken; *der Braten*, *-*, roast.

[29] *der Speck*, bacon.
[30] see Note 2.
[31] idea.
[32] strange.
[33] *kochen*, to cook, to boil, to stew; *die Wurst*, *¨e*, sausage.
[34] *schmecken*, to taste.
[35] *die Kartoffel*, *-n*, potato; *der Salat*, *-e*, salad.
[36] *hiesig*, local.
[37] generous.

NOTES

1. The examples give in Fluency Practice No. 2 show how " I could have " is expressed by *ich hätte . . . können*, and " I ought to have" by *ich hätte . . . sollen*.

2. The examples given in Fluency Practice Nos. 3-5 show how the relative pronoun is expressed in German. It is identical

44

with the definite article (*der, die, das*) except in the Genitive
case (*dessen, deren*) and the Dative plural (*denen*).

FLUENCY PRACTICE

44, 54 (d)

1. Nachdem sie | sich die Stadt | gingen sie Mittag essen.
angesehen hatten, | tranken sie Kaffee.
angekommen waren, | ruhten sie sich aus.
ihre Einkäufe¹ beendet² | setzten sie sich in
    hatten, | den Garten.
ausgestiegen waren, |

¹ *der Einkauf, ⁼e,* purchase.　　　　　² finished.

59, 76 (b)

2. wir hätten | auf dem Bahnhof bleiben können.
ich hätte | das Geld sparen¹ können.
Sie hätten | es dort billiger kaufen können.
du hättest | vorher² Plätze bestellen³ sollen.
ihr hättet | ein Zimmer reservieren lassen sollen.

¹ to save.　　² before; in advance.　　³ to order.

35, 80

3. Können Sie mir | *der* Omnibus hält, *der* zur Stadt | fährt ?
bitte sagen, wo | *die* Strassenbahn
    　　　　　hält, *die* zum Bahnhof
das Auto hält,　　*das* nach Spiez
die Wagen halten, *die* zur Stadt fahren ?

Wer ist | *der* Herr, *den* | wir gestern hier gesehen haben ?
die Dame, *die*
das Kind, *das*

Wer sind *die* Leute, *die*

4. Dies ist | ein Wein, dessen | Namen | mir | unbekannt² ist. **33, 35**
eine Speise,¹ deren | | uns
| | ihm
| | ihr

¹ dish.　　　　　　² unknown.

35, 80

5. Wie heißt | der Herr, mit dem | Sie eben¹ gesprochen haben ?
die Dame, mit der | ich eben gesprochen habe ?
das Kind, mit dem | du eben gesprochen hast ?
| ihr eben gesprochen habt ?

Wie heißen die Leute, mit denen |

¹ just now.

45

6. *Der Hut*	links gefällt mir nicht,	*der*	rechts gefällt mir besser.
Die Bluse		*die*	
Das Kleid		*das*	

Die Schuhe links gefallen mir nicht, die rechts gefallen mir besser

AT TABLE

DIE MAHLZEITEN

das Frühstück — frühstücken
das Mittagessen — zu Mittag essen
das Abendessen — zu Abend essen

DER HAUSHERR (DIE HAUSFRAU) BIETET DEM GAST ETWAS AN[1]

Was ziehen Sie vor,[2] Tee oder Kaffee? Kaffee, wenn ich bitten darf.

Darf ich Ihnen noch eine Tasse anbieten? Ja, bitte. Nein, danke.

Darf ich Ihnen noch	etwas Wein eingießen?[3]	Sehr liebenswürdig, aber bitte nur ein ganz klein wenig.
	etwas Braten anbieten?	
	etwas Salat auflegen?	Es hat mir ausgezeichnet geschmeckt, aber ich bin wirklich satt.[4]

Sie können doch unmöglich satt[4] sein!

MAN BITTET ETWAS ZU REICHEN[5] (WEITERZUREICHEN[6])

Darf ich um	das Salz	bitten?
	den Zucker	
	noch etwas Salat	

Würden Sie so gut sein,	mir das Salz	zu reichen?
Dürfte ich bitten,	den Zucker	Bitte schön.[8]
	die Schüssel[7]	

Würden Sie so gut sein,	den Salat	weiterzureichen?
	die Schüssel	Danke sehr.

[1] *anbieten, bot an, angeboten,* to offer.
[2] *vorziehen, zog vor, vorgezogen,* to prefer.
[3] *eingießen, goß ein, eingegossen,* to pour out.
[4] *satt sein,* to have eaten enough (*es satt haben*=to be fed up).
[5] pass.
[6] pass on.
[7] dish, plate.
[8] said by the person obliging.

LEKTION X

Im Hotel

A: HERR HAMMOND   B: FRAU HAMMOND
C: DIE GESCHÄFTSFÜHRERIN¹   D: DER HAUSDIENER²

A: Wir haben hier ein Zimmer bestellt.³

C: Auf welchen Namen, bitte?

A: Hammond.

C: Wir können Ihnen zwei Zimmer zur Auswahl⁴ anbieten. Nummer
31, ein schönes Vorderzimmer⁵ im zweiten Stock⁶ oder Nummer
17, ein etwas kleineres Hinterzimmer im ersten Stock. Beide
Zimmer haben Balkons.

B: Wo ist die Aussicht schöner?

C: Vom Vorderzimmer haben Sie eine schöne Aussicht auf den See,
und vom Hinterzimmer eine ebenso⁷ schöne Aussicht auf die
Berge. Der Hausdiener wird Ihnen die Zimmer zeigen.

D: Darf⁸ ich Sie bitten,⁹ mir zu folgen.¹⁰

*[Sie schauen sich beide Zimmer an und entscheiden sich für das
Hinterzimmer, weil sie fürchten,¹¹ im Vorderzimmer vom Auto-
verkehr¹² auf der Straße gestört¹³ zu werden. Der Hausdiener bringt
ihnen das Gepäck herauf. Sie packen aus, waschen sich und kleiden
sich um.¹⁴ In einer Stunde sind sie wieder unten und machen ihren
ersten Spaziergang durch den Ort. Bevor sie das Hotel verlassen,¹⁵
erkundigen sie sich, wann sie zum Abendessen zurück sein müssen.]*

A: Um wieviel Uhr gibt es Abendessen?

C: Um sieben Uhr.

---

¹ manageress.
² porter; "Boots".
³ *bestellen,* to order.
⁴ *die Auswahl,* choice.
⁵ front room.
⁶ *der Stock,* short for *das Stockwerk,*
   –e, floor, storey. The plural is
   always *Stockwerke.*
⁷ equally.

⁸ may.
⁹ *bitten, bat, gebeten,* to ask, to
   request.
¹⁰ to follow.   ¹¹ fear.
¹² *das Auto, –s; der Verkehr,* traffic.
¹³ *stören,* to disturb.
¹⁴ *sich umkleiden* (sep.), to change.
¹⁵ *verlassen (ä), verließ, verlassen,* to
   leave.

A: Und die anderen Mahlzeiten?

C: Das Frühstück zu jeder[16] Zeit[17] bis halb zehn und das Mittagessen um eins.

B: Können wir in unserem Zimmer frühstücken?

C: Wie Sie wünschen, in Ihrem Zimmer oder im Speisesaal.[18]

B: Das ist uns gleich.[19] Wie ist es denn[20] hier üblich?[21]

C: Die meisten unserer Gäste[22] frühstücken im Speisesaal.

B: Dann tun wir das auch.

C: Ganz[23] wie Sie wünschen.

A: Wo ist der Speisesaal?

C: Im ersten Stock. Diese Treppe[24] führt[25] hinauf. Sie können auch mit dem Fahrstuhl[26] hinauffahren.

B: Zum ersten Stock werden wir noch zu Fuß hinaufkönnen.

A: Warte[27] mal, bis[28] du todmüde[29] von einer Bergwanderung zurückkommst!

[16] any.
[17] *die Zeit, –en*, time.
[18] *die Speise, –n*, food; *der Saal (Säle)*, hall.
[19] the same.
[20] then.
[21] usual.
[22] *der Gast, ⸚e*, guest.

[23] entirely.
[24] *die Treppe, –n*, staircase.
[25] *führen*, to lead.
[26] *der Fahrstuhl, ⸚e*, lift.
[27] *warten*, to wait.
[28] until.
[29] dead tired.

NOTES

1. Verbs with the ending *–ieren*, which are of foreign origin, are regular verbs, except that their Past Participles do not take the prefix *ge–*, e.g.

regieren, to reign; *regiert*, reigned
servieren, to serve; *serviert*, served

2. *derselbe, dieselbe, dasselbe*, the same.

Note from the examples in Fluency Practice Nos. 6 and 7 that these are two words written together. The *der, die, das* are fully declined and *–n* is added according to the rules about termination of adjectives. (14)

3. *Wir werden hinauf können.* We shall be able to go up.
Er wird heraus müssen. He will have to come out.
Du kannst jetzt nicht hinein. You can't get in now.

    Note that in the above examples the verbs " to get, to go, to come " are understood. For further examples see Fluency Practice Nos. 4 and 5.

4. *Was gibt's?* What is there? What's on (the menu or the programme)? For examples see Fluency Practice No. 7.

FLUENCY PRACTICE

14, 40

1. Ein	großes	Vorder-	im ersten Stock	mit Aus-	die Stadt.
	kleines	zimmer	im zweiten Stock	sicht auf	die See.
	schönes	Hinter-	im dritten Stock		den Garten.
	helles	zimmer	im Erdgeschoß		die Berge.

58, 61

2. Das Frühstück	wird	um acht Uhr	serviert.
Das Mittagessen		von eins bis zwei	
Das Abendessen		in ihrem Zimmer	
		im Speisesaal	

58, 61

3. Werde ich	nicht	von der Musik	gestört werden ?
Werden wir		von dem Lärm[1]	
Wird er		von dem Verkehr[2]	
Wirst du		von den anderen Gästen	
Werdet ihr			

Wir sind in der Nacht   *gestört worden.*

[1] *der Lärm,* noise.   [2] *der Verkehr,* traffic.

22, 59

4. ich	kann	nicht	hinein.
er			hinaus.
sie			hinauf.
es			hinunter.
			hinüber.
wir	können		
Sie			
sie			
du	kannst		
ihr	könnt		

49

5.	ich werde	nicht	hineinkönnen.	20,62
	du wirst		hinauskönnen.	
	er wird		hinaufkönnen.	
	wir werden		hinunterkönnen.	
			hinüberkönnen.	

6. Das ist

	derselbe (Braten[1]), *den*	wir gestern hatten.	**55, 100**
	dieselbe (Suppe), *die*	es gestern gab.	
	dasselbe (Gemüse), *das*		

Das sind *dieselben* (Speisen), *die*

[1] joint (of meat).

5, 100

7. Es gibt heute

denselben (Film), *den*	es letzte Woche gab.
dieselbe (Oper), *die*	wir letzte Woche sahen.
dasselbe (Ballet), *das*	
dieselben (Filme), *die*	

POLITE EXPRESSIONS

ON HEARING GOOD NEWS

Das ist aber schön. *That's nice.*
Das ist ja sehr schön. *That's very nice.*
Das freut mich aber. *I am glad.*
Wie mich das freut! *How glad I am!*

ON HEARING BAD NEWS

Das tut mir leid. *I am sorry.*
Das ist aber schade. *That's a pity.*
Wie schade! *What a pity!*
Wie ärgerlich! *How annoying!*

IF YOU HAVE NOT QUITE UNDERSTOOD

(Wie) bitte? Wie meinten Sie? Verzeihung, ich habe nicht recht
verstanden.

ASKING FOR SOMETHING

Darf ich um	Feuer	bitten?
	ein Glas Wasser	
	noch eine Tasse Kaffee	

The requested item is handed over with *bitte schön*, and the
recipient says either *besten Dank* or *vielen Dank* or *danke bestens*.

Im Fremdenverkehrsbüro[1]

A: HERR HAMMOND   B: FRAU HAMMOND
C: DIE DAME IM AUSKUNFTSBÜRO

A: Hier ist das Fremdenverkehrsbüro. Da werden wir Auskunft über Wanderwege[2] bekommen können. Gehen wir hinein!

B: Daneben sehe ich ein Schuhgeschäft.

A: Da können wir nachher[3] hineingehen. Das Büro wird um 5 Uhr geschlossen,[4] und die Geschäfte sind sicher[5] bis sechs geöffnet.

[*Sie gehen hinein.*]

A: Guten Tag! Könnten wir hier eine Wanderkarte[6] der Gegend[7] bekommen?

C: Ja, gewiß.[8] Diese Karte zeigt[9] die nähere[10] Umgebung[11] und diese hier die weitere.[12] Die Wanderwege sind auf beiden[13] Karten deutlich[14] markiert.

A: Ich glaube[15] diese wird genügen.[16] Wir wollen zuerst[17] die nähere Umgebung kennen lernen.[18]

C: Hier ist ein Verzeichnis[19] der Wanderwege mit ausführlicher[20] Beschreibung.[21] Und dann gebe ich ihnen noch den Fahrplan[22] des Postautos, das unseren Ort mit der Stadt verbindet.[23]

A: Vielen Dank! Wir möchten auch gern mal einen größeren

---

[1] *der Fremdenverkehr*, tourism.
[2] *der Weg, —e*, way, path.
[3] afterwards.
[4] *schließen, schloß, geschlossen*, to shut.
[5] sure(ly).
[6] *die Karte, —n*, map.
[7] *die Gegend, —en*, district.
[8] certain(ly).
[9] *zeigen*, to show.
[10] *nahe*, near.
[11] surroundings.
[12] *weit*, far.
[13] *beide*, both.
[14] distinct(ly).
[15] *glauben*, to believe.
[16] *genügen*, to suffice.
[17] first.
[18] *kennen lernen*, to get to know.
[19] *das Verzeichnis, —se*, list.
[20] *ausführlich*, detailed.
[21] *die Beschreibung, —en*, description.
[22] *der Fahrplan, —e*, time-table
[23] *verbinden, verband, verbunden*, to connect.

Ausflug[24] unternehmen,[25] nach Kandersteg oder auf die Jungfrau. Da müssen wir wohl zuerst zur Stadt fahren ?

C: Das ist nicht unbedingt[26] nötig.[27] Es finden auch Ausflugstouren vom Ort aus statt,[28] sowohl[29] halbtägige[30] als auch ganztägige.[31] Auf diesem Flugblatt[32] sind die Autotouren für die ganze Woche verzeichnet.[33] Eine Halbtagstour nach Kandersteg findet morgen nachmittag statt. Sie können sich hier dafür eintragen.[34]

B: Wir wollen's lieber auf nächste Woche verschieben.[35] Zunächst möchten wir Wanderungen in der näheren Umgebung machen.

A: Wir danken Ihnen sehr für Ihre liebenswürdige[36] Auskunft. Was bin ich Ihnen schuldig ?[37]

C: Das Flugblatt und das Verzeichnis sind gratis. Die Landkarte kostet einen Franken fünfzig.

A: Können Sie mir bitte auf fünf Franken herausgeben ?[38]

C: Aber gewiß. Hier sind drei Franken fünfzig.

A: Nochmals[39] besten Dank. Auf Wiedersehen.

[24] *der Ausflug, ⸗e,* excursion.
[25] to undertake.
[26] absolutely.
[27] necessary.
[28] *stattfinden, fand statt, stattgefunden,* to take place.
[29] *sowohl . . . als auch,* both . . . and
[30] *halbtägig,* half-day.
[31] *ganztägig,* whole-day.
[32] *das Flugblatt, ⸗er,* leaflet.
[33] listed.

[34] *sich eintragen (trägt ein), trug ein, eingetragen,* to put one's name down.
[35] *verschieben, verschob, verschoben,* to postpone.
[36] *liebenswürdig,* amiable, kind.
[37] *Was bin ich schuldig?* What do I owe ?
[38] to give change.
[39] once again.

NOTE

Most adjectives can be used as adverbs. (18)
Ich habe gut geschlafen. I slept well.

There is also an adverb *wohl* which is used in certain set phrases, such as *Schlafen Sie wohl !* Sleep well !

Another meaning of *wohl* is " presumably."
Er ist wohl krank. I suppose he is ill.

20, 76 (d)

1. | Was | ich | gern | täte, | wäre | baden | zu gehen. |
	er	lieber			schwimmen	
	sie	am liebsten			rudern[1]	
					segeln[2]	
Was	wir	gern	täten,		bergsteigen[3]	
	Sie	lieber			eislaufen[4]	
	sie	am liebsten				

[1] rowing.　　　　　　　　　　　　　[3] mountaineering.
[2] sailing.　　　　　　　　　　　　　[4] skating.

2. | wir | möchten | einen Ausflug[1] | machen. | **54 (g), 85** |
   | Sie | würden gern | eine Wanderung[2] | | |
   | sie | wollen | eine Autotour | | |

[1] excursion.　　　　　　　　　　　　[2] ramble.

3. Er sagt, daß er | kein Geld habe.　　　　　　**76 (a), 80**
   | nicht kommen könne.
   | krank sei.
   | es morgen tun würde.
   | es nötig brauche.[1]

[1] need it urgently.

4. Ich danke Ihnen sehr | für die liebenswürdige[1] Auskunft.[2]　**37, 68**
   | für die gute Aufnahme.[3]
   | für den herzlichen Empfang.[4]
   | für all Ihre Mühe.[5]

[1] kind.　　　　　　　　　　　　　　[4] welcome.
[2] information.　　　　　　　　　　　[5] trouble.
[3] reception.

14, 17

5. | Ist dies | *der* | nächste | *Berg?* | Ist | der | andere nicht | näher? |
   | | *die* | höchste | *Kirche?* | | die | | höher? |
   | | *das* | größte | *Hotel?* | | das | | größer? |

Ist dies	*der*	beste	*Bleistift?*	Ist	der	andere nicht	besser?
	die	billigste	*Feder?*		die		billiger?
	das	teuerste	*Papier?*		das		teurer?

6. | Dieser | | ist | am nächsten.
| Diese | | | am höchsten.
| Dieses | | | am größten.
| | | | am schönsten.
| Der | andere | | am besten.
| Die | | | am billigsten.
| Das | | | am teuersten.

| Diese | | sind |
| Die anderen | | |

7. Könnten Sie mir | auf 100 Franken herausgeben ?[1]
| den Weg zur Post zeigen ?
| Feuer für meine Zigarette geben ?

[1] give change.

ENQUIRIES

Könnten Sie mir bitte sagen,	ob ... ?[1]
Bitte sagen Sie mir,	wie ... ?[2]
Ich möchte gern wissen,	wo ... ?[3]
Würden Sie die Güte haben mir zu sagen,	wann ... ?[4]
	was ... ?[5]

[1] whether, e.g. *ob der Briefträger schon hier gewesen ist.*
[2] how, e.g. *wie man das auf Deutsch sagt.*
[3] e.g. *wo man hier telephonieren kann.*
[4] e.g. *wann der nächste Zug fährt.*
[5] e.g. *was das bedeutet* (what that means).

LEKTION XII

Erster Spaziergang

[*Nach einem guten Frühstück verließen[1] sie am nächsten Morgen kurz nach neun Uhr das Hotel.*

Am Abend vorher[2] hatten sie das Büchlein[3] mit der Beschreibung[4] der Spaziergänge und Ausflüge eifrig[5] studiert und beschlossen, als ersten Spaziergang einen zu unternehmen,[6] der als „zweistündig"[7] angegeben[8] war.]

SIE: Heißt[9] das nun zwei Stunden hin und zurück, oder bedeutet[10] es zwei Stunden für den Hinweg[11] und weitere zwei Stunden für den Rückweg?[12]

ER: Solche[13] Angaben[14] beziehen[15] sich gewöhnlich auf den ganzen[16] Spaziergang. Wir könnten also rechtzeitig zum Mittagessen zurück sein.

SIE: Wenn wir uns nicht verlaufen.[17]

ER: Unmöglich.[18] Der ganze Weg ist hier deutlich[19] beschrieben. Hier muß ein Wiesenweg links[20] abbiegen.[21]

SIE: Da ist einer. Fragen wir lieber, ob er es ist.

ER [*zu einem Vorübergehenden[22]*]: Können Sie mir bitte sagen, ob dies der richtige Weg nach Aeschiried ist?

---

[1] *verlassen (ä), verließ, verlassen*, to leave.
[2] before, previously.
[3] *das Büchlein, —*, booklet.
[4] *die Beschreibung, —en*, description.
[5] eagerly.
[6] *unternehmen (unternimmt), unternahm, unternommen*, to undertake.
[7] of two hours' duration.
[8] *angeben (gibt an), gab an, angegeben*, to indicate.
[9] *heißen, hieß, geheißen*, to be called, to mean.
[10] *bedeuten*, to mean.
[11] *der Hinweg, —e*, the way there.
[12] *der Rückweg, —e*, the way back.

[13] such.
[14] *die Angabe, —n*, indication.
[15] *sich beziehen (bezog sich, hat sich bezogen) auf*, to refer to.
[16] *ganz*, whole.
[17] *sich verlaufen (verläuft sich), verlief sich, hat sich verlaufen*, to lose one's way.
[18] impossible.
[19] clearly, distinctly.
[20] on the left.
[21] *abbiegen, bog ab, abgebogen*, to turn off.
[22] *vorübergehen, ging vorüber, is vorübergegangen*, to pass by.

55

EIN HERR: Ich kann es Ihnen leider[23] nicht sagen. Ich kenne die Gegend[24] nicht gut.

SIE: Es wird schon richtig sein. Es heißt hier „nach dem ersten Bauernhaus[25] links ansteigend,"[26] und es geht wirklich[27] bergauf.[28]

ER: Zum Glück geht es nicht zu steil[29] hinauf.

SIE: Wenn es der richtige Weg ist, müßten wir bald einen Aussichtspunkt[30] mit Bänken[31] erreichen.[32]

ER: Da ist er schon. Nun können wir uns etwas ausruhen.[33]

SIE: Es ist viel zu früh zum Ausruhen. Wenn wir uns schon hinsetzen, wirst du garnicht mehr weiterkönnen.

ER: Also weiter! Von hier geradeaus[34] hinüber zum Waldrand[35] und dann nach rechts.[36]

[23] unfortunately.
[24] die Gegend, -en, district, region.
[25] der Bauer, -n, farmer.
[26] ansteigen, stieg an, ist angestiegen, to rise.
[27] really.
[28] uphill.
[29] steep.
[30] die Aussicht, -en, view; der Punkt, -e, point.

[31] die Bank, ::e, seat, bench.
[32] to reach.
[33] sich ausruhen (sep.), to rest.
[34] straight on.
[35] der Wald, ::er, wood; der Rand, ::er, edge.
[36] right.

NOTES

1. *Wie heißen Sie?* What is your name?
   Wie heißt das auf deutsch? What is that in German?
   Was heißt das? What does that mean?

   In the last example *bedeutet* could be substituted for *heißt*.

2. *der Hinweg*, the way there.   *die Hinfahrt*, the drive there.
   der Rückweg, the way back.   *die Rückfahrt*, the drive back.

3. *rechts*, on the right.   *links*, on the left.
   nach rechts, to the right.   *nach links*, to the left.
   die rechte Hand, the right hand.   *der linke Fuß*, the left foot.

4. There are two diminutive endings: *–chen* and *–lein*. Either of these may be added to any noun or Christian name. As *–chen* would be difficult to pronounce after *ch*, *Büchlein* is the only diminutive for *das Buch*.

56

5. For the difference between *fragen* and *bitten*, see explanation 87.

6. *Hier ist ein Stuhl. Da ist noch einer* (another one).
   Haben Sie eine Uhr? Ich habe keine (none).
   Haben Sie ein Wörterbuch? Ich habe keins. Da ist eins (one).
   Ist das mein Bleistift? Nein, das ist deiner (yours).

   Whereas the indefinite article *ein* can be both masculine and neuter, different forms are used for " one " (and " none ") replacing a noun, i.e. *einer* (*keiner*) and *eins* (*keins*). The same endings are attached to *mein, dein, sein, ihr, unser, euer.* (25)

FLUENCY PRACTICE

1.

Wir können	rechtzeitig[1]	zum Essen zurück sein.	**59, 77 (b)**
Wir könnten	um ein Uhr	hingehen.	
Wir müssen	früh	hinaufsteigen.	
Wir müßten	später	zurückfahren.	

[1] in time.

2.

Da ist	einer.		Da ist	eine	**8, 14, 25**
Hier steht	keiner.		Hier steht	keine	
Dort liegt	meiner.		Dort liegt	meine	
	seiner.			Seine	
	Ihrer.		Haben Sie	Ihre	
	unserer.		Ich habe	unsere	
			Sehen Sie	einss	
Haben Sie	einen		Ich sehe	kein	
Ich habe	keinen		Ich nehme	seins	
Sehen Sie	meinen			Ihres	
Ich nehme	seinen			unseres	
	Ihren				
	unseren				

3.

Da sind	welche[1]	**9, 102**
Hier stehen	keine	
Dort liegen	meine	
Haben Sie	seine	
Sehen Sie	ihre	
Nehmen Sie	unsere	

[1] some.

4.	Ich schreibe mit	meinem (Bleistift). meiner (Feder).		**24, 25, 38**
	Ich nehme von	Ihrem (Brot). Ihrer (Butter).		
	Ich trinke aus	seinem (Glas). seiner (Tasse).		
	Wir gehen zu Wir kommen von Wir waren bei	unseren Ihren seinen	(Eltern). (Freunden). (Verwandten).	
5.	Können Sie mir bitte sagen,	wieviel Uhr es ist ? wie ich von hier zum Bahnhof komme? ob hier ein Postamt in der Nähe¹ ist ? ob es noch weit zur Stadt ist ? ob dies der richtige Weg nach . . . ist ?		**44, 103**

¹ *die Nähe*, neighbourhood.

ASKING THE WAY

| Verzeihen Sie, | führt diese Straße
bin ich auf dem
richtigen Wege | zum Bahnhof ?
nach Rixdorf ?
nach der Albertallee ? |

Würden Sie so freundlich sein, mir den Weg zum Bahnhof zu zeigen ?¹
Welchen Omnibus muß ich zur Hauptpost nehmen ?
Können Sie mir bitte sagen, wie ich von hier aus nach . . . komme ?

ANSWERS

Immer geradeaus.² Die zweite Querstraße³ links. Den Fluß entlang.⁴ In dieser Richtung.⁵ In entgegengesetzter⁶ Richtung.

¹ to show.	⁴ along.
² straight ahead.	⁵ *die Richtung*, direction.
³ side street.	⁶ opposite.

Ausflug im Regen

Trotzdem[1] es sehr nach Regen aussah,[2] hatten sie sich für eine Nachmittags-Autotour eingetragen. Gleich nach dem Mittagessen begaben[3] sie sich zum Verkehrsbüro, vor dem ein großer Autobus hielt. Pünktlich um 2 Uhr ging es los.[4]

Zuerst ging es bergab[5] in das Tal[6] hinunter, dann raste[7] der Wagen durch mehrere Ortschaften,[8] ständig[9] hupend,[10] um die auf der Straße spielenden Kinder zu warnen. Dann ging es an Feldern vorbei,[11] auf denen das Getreide reifte.[12] Allmählich[13] ging es bergan,[14] an Wiesen vorbei, auf denen Kühe weideten.[15] Das Tal wurde immer enger[16] und die Landstraße schlängelte[17] sich durch steile[18] mit Tannen bewachsene[19] Abhänge.[20] Sie erreichten[21] bald die Spitze[22] einer Anhöhe,[23] von der aus sie eine herrliche Aussicht hatten, auf das hinter ihnen liegende Tal und die bewaldeten[24] Anhöhen vor ihnen.

Dann fuhren sie weiter durch dunkle Tannenwälder und kamen bald an einen See, wo Station[25] gemacht wurde. Es war der berühmte[26] Blausee, in dessen klarem bläulichem[27] Wasser tausende von Forellen[28] herumschwimmen,[29] die von hier aus lebend[30] in Wasserbehältern[31]

---

[1] although.
[2] *aussehen (sieht aus), sah aus, ausgesehen,* to look like.
[3] *sich begeben (begibt sich), begab sich, hat sich begeben,* to go ; to take oneself.
[4] *losgehen, ging los, ist losgegangen,* to go off, to set out.
[5] downhill.
[6] *das Tal, ̈er,* valley.
[7] *rasen,* to rush.
[8] *die Ortschaft, ‒en,* locality, place.
[9] *ständig,* constantly.
[10] *hupen,* to blow the horn (*die Hupe, ‒n*).
[11] past.
[12] *reifen,* to ripen.
[13] gradually.
[14] uphill.
[15] *weiden,* to graze.
[16] *immer enger,* narrower and narrower.
[17] *sich schlängeln,* to wind (*die Schlange, ‒n,* snake).
[18] *steil,* steep.
[19] *bewachsen,* covered with growth.
[20] *der Abhang, ̈e,* slope.
[21] *erreichen,* to reach.
[22] *die Spitze, ‒n,* top.
[23] *die Anhöhe, ‒n,* height.
[24] wooded.
[25] *Station* (f.) *machen,* to stop.
[26] famous.
[27] bluish.
[28] *die Forelle, ‒n,* trout.
[29] swim around.
[30] living, alive.
[31] *der Behälter, ‒,* container.

an Hotels und Restaurants verschickt[32] werden. Man kann sehen, wie die Forellen gezüchtet[33] werden, und während man von Bassin[34] zu Bassin geht, die Entwicklung[35] und das Wachstum[36] der Fische beobachten.[37]

Als sie zum Wagen zurückkehrten, begannen die ersten Regentropfen[38] zu fallen. Eine halbe Stunde später kamen sie in strömendem[39] Regen in Kandersteg an. Es blieb ihnen nichts anderes übrig,[40] als in einem Café Schutz[41] zu suchen.[42] Es regnete unaufhörlich[43] weiter, sodaß sie zu ihrem größten Bedauern[44] nicht die geplante Auffahrt mit dem Sessellift[45] unternehmen[46] konnten. Sie tranken eine Tasse Milchkaffee nach der anderen und aßen Gebäck[47] dazu.[48] Um fünf Uhr war es Zeit zurückzufahren. Trotz[49] des Regens hatte sich der Ausflug wegen[50] des Aufenthalts am Blausee gelohnt.[51] Den entzückend[52] gelegenen See und die hoch interessante Forellenzucht gesehen zu haben, war ein unvergeßliches[53] Erlebnis.[54]

[32] *verschicken*, to send away.
[33] *züchten*, to breed.
[34] *das Bassin, –s* (pronounced the French way), basin, tank.
[35] development.
[36] growth.
[37] to observe.
[38] *der Regen*, rain ; *der Tropfen, –*, drop.
[39] *strömen*, to stream.
[40] *es blieb mir nichts anderes übrig*, I had no other choice.
[41] *der Schutz*, protection.
[42] to seek.

[43] incessantly.
[44] regret.
[45] *der Sessel, –*, (easy) chair.
[46] *unternehmen (unternimmt), unternahm, unternommen*, to undertake.
[47] *das Gebäck*, buns and small cakes.
[48] with it.
[49] in spite of.
[50] on account of.
[51] *sich lohnen*, to be worth while.
[52] delightful(ly).
[53] unforgettable.
[54] *das Erlebnis, –se*, experience (see Note 2).

NOTES

1. *Trotz* (in spite of), *wegen* (on account of), *während* (during) are three prepositions which require the Genitive case. (**39**)

2. There are two German words for "experience" : *die Erfahrung, –en* is the experience we gain, whereas *das Erlebnis, –se* is something wonderful, extraordinary or memorable.

3. *Unternehmen* (to undertake) looks like a separable verb, but it is not. It has nothing to do with the meaning of *unter*

(under), so the prefix remains unstressed, and attached to the verb:

e.g. *Was unternehmen wir heute Abend?*

In the verb *unterstellen* (to take shelter), however, *unter* does have the meaning " under," so the prefix is both stressed and separable:

e.g. *Stellen wir uns unter.* Let's take shelter. **(60)**

FLUENCY PRACTICE

1.	Früh am Morgen	ging es los.	**65, 79**
	Gleich[1] nach dem Frühstück		
	Spät am Abend		
	Mitten in der Nacht		
	Punkt[2] sechs Uhr		

[1] immediately. [2] punctually.

2.	Zuerst[1]	ging es	bergauf.	**79, 82**
	Dann	fuhren Sie	bergab.	
	Später	gingen sie	geradeaus.[4]	
	Zuletzt[2]	stiegen wir	immer höher.	
	Allmählich[3]	lief ich	durch Wiesen und Wälder.	
			eine steile[5] Anhöhe hinauf.	

[1] at first. [4] straight ahead.
[2] at last. [5] steep.
[3] gradually.

3.	Sie sahen Fische, die	dort gezüchtet werden.	**35, 61**
		man mit den Händen fangen kann.	
		von dort lebend verschickt werden.	

45, 80

4.	Als sie zum Wagen zurückkehrten,	begannen die ersten Regentropfen zu fallen.
		kam die Sonne wieder zum Vorschein.[1]
		hörte[2] es auf zu regnen.
		fing[3] es an zu schneien.

[1] *zum Vorschein kommen*, to make an appearance.
[2] *aufhören*, to stop.
[3] *anfangen*, to start.

5.	Es blieb	mir	nichts anderes	Schutz[2] zu suchen. **62, 65**
		ihm	übrig,[1] als	nach Hause zu gehen.
		ihr		ins Hotel zurückzukehren.
		Ihnen		ein Taxi zu nehmen.
		uns		um Hilfe zu rufen.[3]
		dir		einen Arzt[4] zu holen.

[1] I (he, she, etc.) had no other choice.   [3] to call for help.
[2] *der Schutz*, protection.   [4] *der Arzt*, ⸗e, doctor.

6.	Um halb sieben	war es Zeit	aufzustehen. **62, 79**
	Dann		loszugehen.
	Bald		weiterzufahren.
			zurückzukehren.
			den Tisch zu decken.

7.	Trotz	des Regens	kamen sie her. **5, 39**
	Wegen	des schlechten Wetters	blieben sie dort.
	Während	der Ferien	gingen wir baden.
		der Feiertage	

WIE IST DAS WETTER?

Es ist schön (heiß, warm, kühl, kalt, regnerisch, neblig, trübe,[1] windig, schwül,[2] scheußlich,[3] etc.).

Es regnet (gießt,[4] schneit, friert, hagelt,[5] donnert, blitzt).

Wir haben Sonnenschein (schönes Wetter, schlechtes Wetter, Schauer,[6] Regen, Schnee).

| Ich glaube | Frost, Gewitter,[7] Hagel,[8] Nebel, Tauwetter,[9] |
| wir bekommen | Ostwind, Westwind, Nordwind, Südwind. |

Es sieht nach Regen (Schnee, Frost, etc.) aus.[10]

Welch herrlicher[11] Morgen (Tag, Abend)!

Was für ein schlechtes (schauderhaftes,[12] scheußliches) Wetter!

Es ist eisig kalt. Eine Hundekälte![13] Eine Bärenhitze![14]

Die Hitze (Kälte) ist unerträglich.[15]

[1] dull.
[2] sultry.
[3] dreadful.
[4] pours.
[5] hails.
[6] shower.
[7] thunderstorm.
[8] hail.
[9] thaw.
[10] it looks like.
[11] magnificent.
[12] ghastly.
[13] bitter cold.
[14] stifling hot.
[15] unbearable.

Fahrt zur Stadt

A: HERR MEIER   B: FRAU HAMMOND   C: HERR HAMMOND

[Im Hotel hatten sie ein reizendes,[1] deutsches Ehepaar[2] kennengelernt.[3] Sie hießen Meier und kamen aus Berlin. Sie hatten vor,[4] gleich[5] nach dem Frühstück zusammen[6] zur Stadt zu fahren.

Zum Frühstück erschien[7] Herr Meier aber ohne seine Frau.]

A: Meine Frau wird heute leider nicht mitkommen können. Sie fühlt sich nicht ganz wohl.[8]

B: Das tut mir leid.[9] Was fehlt[9] ihr denn ?

A: Sie hat starke[10] Kopfschmerzen.[11]

B: Hat sie etwas[12] eingenommen ?[13]

A: Noch nicht. Sie leidet[14] oft an Kopfschmerzen und die üblichen[15] Mittel[16] helfen ihr nicht. Ich hoffe aber in der Stadt das richtige[17] zu bekommen.

B: Bitte grüßen[18] Sie sie herzlichst[19] von uns und sagen Sie ihr, daß wir ihr gute Besserung[20] wünschen.

C: Sagen Sie ihr bitte auch, es tut uns leid, daß sie nicht mitkommen kann.

A: Ich werde es ihr bestellen[21] und sehen, ob sie inzwischen[22] den

---

[1] charming.

[2] *das Ehepaar, –e,* married couple.

[3] *kennen lernen,* to get to know, to become acquainted.

[4] *vorhaben (hat vor), hatte vor, vorgehabt,* to intend (doing).

[5] immediately.

[6] together.

[7] *erscheinen, erschien, ist erschienen,* to appear.

[8] *sich wohl fühlen,* to feel well.

[9] see Note 1.

[10] strong, big.

[11] *der Kopf, ∺e,* head ; *der Schmerz, –en,* pain.

[12] something.

[13] *einnehmen* (sep.), to take (medicine).

[14] *leiden,* to suffer.

[15] *üblich,* usual.

[16] *das Mittel, –,* means, remedy.

[17] *richtig,* right.

[18] greet.

[19] most heartily.

[20] *die Besserung, –en,* improvement, recovery.

[21] *bestellen,* to order, to deliver a message.

[22] meanwhile.

Tee bekommen hat, den man versprochen[23] hat, ihr aufs Zimmer zu bringen. Wollen Sie mich also[24] bitte entschuldigen.[25]

C: Aber gewiß.[26] Wir treffen[27] uns um halb neun in der Eingangshalle.[28]

A: Auf Wiedersehen bis[29] später.[30]

[*Herr Meier hat ein Auto, das er in der Garage des Hotels unterstellt. Kurz vor halb neun holt er den Wagen aus der Garage. Herr und Frau Hammond warten schon in der Eingangshalle.*]

A: Wenn es Ihnen recht[31] ist, könnten wir losfahren.[32]

C: Es ist sehr liebenswürdig von Ihnen, uns zur Stadt zu fahren.

A: Keine Ursache.[33] Leider werde ich Sie nicht zurückfahren können, da ich gleich von der Apotheke zurückmöchte.[34]

B: Aber selbstverständlich.[35] Wir können ja mit dem Postauto zurückfahren.

C: Wenn es nicht zu spät sein wird, und wir nicht zu müde[36] sind, werden wir den Rückweg[37] zu Fuß machen.

A: Wenn Sie nichts dagegen haben, mache ich bei der nächsten Tankstelle[38] halt.[39] Ich habe nämlich[40] nicht mehr viel Benzin[41] und möchte es nicht riskieren, unterwegs[42] steckenzubleiben.[43]

[23] *versprechen (i), versprach, versprochen,* to promise.
[24] so.
[25] excuse.
[26] certainly.
[27] *sich treffen (trifft sich), traf sich, hat sich getroffen,* to meet.
[28] *der Eingang, ⁼e,* entrance; *die Halle, –n,* hall.
[29] till.
[30] later.
[31] see Note 3.
[32] *losfahren (fährt los), fuhr los, ist losgefahren,* to start off driving.

[33] *keine Ursache,* no cause (i.e. to thank me) ; this is the usual reply to thanks and apologies.
[34] *zurückmöchte,* short for *zurückfahren möchte.*
[35] of course. [36] tired.
[37] *der Rückweg, –e,* way back.
[38] *die Tankstelle, –n,* petrol station.
[39] *haltmachen* (sep.), to stop.
[40] you see, *(lit.)* namely.
[41] *das Benzin,* petrol.
[42] on the way.
[43] *stecken bleiben, blieb stecken, ist steckengeblieben,* to get stuck.

NOTES

1. *Das tut mir leid.* I am sorry (to hear that).
   Es tut mir leid, daß sie nicht kommen kann. I am sorry that she cannot come.

64

Was fehlt dir (Ihnen, euch)? What is wrong with you ?
Was fehlt ihm (ihr)? What is wrong with him (her) ?
Es geht ihm (ihr) nicht gut. He (she) is not well.

The above are impersonal expressions in German, where *das*, *es* or *was* is the subject and the personal pronoun is in the Dative case. **(65)**

2. *Man spricht hier deutsch.* German is spoken here.
Man hat mir zum Frühstück Tee versprochen. I have been promised tea for breakfast.

Man tut das hier nicht. $\left\{ \begin{array}{l} \text{This is not done here.} \\ \text{We don't do that here.} \end{array} \right.$

Man hat uns das Gepäck zur Bahn gebracht. They brought our luggage to the station.

Man is often used instead of the English passive voice. It is also frequently used where English uses " we " or " they " when those who perform the action are not specified.

3. There are two ways of saying " Do you mind ? " in German : *Ist es Ihnen recht?* and *Haben Sie etwas dagegen?* See Fluency Practice No. 7.

4. *Was fehlt ihr denn?* (But) what's the matter with her?
Denn, like *ja* and *doch*, adds emphasis: *denn* to questions, *ja* to statements and *doch* to either statements or requests.
Setzen Sie sich doch. (But) do sit down.
Er ist ja verreist. (But) he has gone away.

FLUENCY PRACTICE

1. | Das ist | sehr liebenswürdig[1] | von | ihm. | **33, 38** |
| | anständig[2] | | ihr. | |
| | nicht nett[3] | | Ihnen. | |

[1] kind.   [2] decent.   [3] nice.

2. | Wie geht es | Ihnen ? | Es geht | mir | gut. | **33, 65** |
	Ihrem Bruder ?		ihm	sehr gut.	
	Ihrer Schwester ?		ihr	ausgezeichnet.[1]	
	Ihren Eltern ?		dir	einigermaßen.[2]	
			ihnen	schlecht.	

[1] excellent.   [2] so-so.

3. Was fehlt | Ihnen ? | | Er hat | Kopfschmerzen.
   | ihm ? | | Er leidet an | Halsschmerzen.[1]
   | ihr ? | | | Zahnschmerzen.
   | ihnen ? | | Ich habe | Ohrenschmerzen.
   | | | Ich leide an | Magenschmerzen.[2]

[1] *der Hals, ⁼e,* throat.   [2] *der Magen,* stomach.

4. Der Kopf | tut | mir | weh.[1]   **7, 33**
   Der Hals | | ihm |
   | | ihr |
   Die Augen | tun | dir |
   Die Ohren | | euch |
   | | ihnen |

[1] *weh tun,* to hurt.

69, 73

5. Bitte grüßen Sie | ihn | und wünschen Sie | ihm | gute Besserung
   | sie | | ihr | von mir.
   | | | ihnen |

6. Wir haben uns | an der Haltestelle[1] | getroffen.   **38, 66**
   Sie haben sich | im Theater | gesehen.
   Ihr habt euch | auf der Straße | gesprochen.
   | bei der Arbeit | kennen gelernt.[2]

[1] *die Haltestelle,* stopping place.   [2] *kennen lernen,* to get to know.

65, 99

7. Wenn es Ihnen recht ist, | können wir jetzt losfahren.
   Wenn Sie nichts dagegen haben, | fahren wir später.
   Wenn es ihm recht ist, | bestellen wir noch eine Flasche.
   Wenn es ihr recht ist, | treffen wir uns in der
   Wenn sie nichts dagegen hat, | Eingangshalle.
   | gehen wir zu Fuß zurück.

ENQUIRING AFTER SOMEBODY'S HEALTH

Wie geht's | dir ? | | Danke, | ausgezeichnet.[1]
   | euch ? | | | sehr gut.
   | Ihnen ? | | | gut.

[1] excellent.

Wie geht's,	Herr Müller ?	Mir geht's	vorzüglich.[1]
	gnädige Frau ?		einigermaßen.[2]
	gnädiges Fräulein ?		leider[3] nicht besonders.[4]

| Wie geht's | gesundheitlich ?[5] | Es könnte besser sein. |
| | geschäftlich ?[6] | |

Wie geht's	Ihrem (Herrn) Vater ?	Es geht	ihm	ausgezeichnet.
	Ihrer (Frau) Mutter ?		ihr	gut.
	(Ihrem Fräulein Schwester ?)		ihnen	besser.
	Ihrer Schwester ?			leider
	Ihren Kindern ?			nicht gut.

Sie sehen	gut	aus.[7]	Ich habe	Kopfschmerzen.
er	sieht	schlecht		Ich leide an[9]	Halsschmerzen.
sie		blaß[8]		Er hat	Zahnschmerzen.
			Er leidet an	Gliederschmerzen.[11]
Fehlt	Ihnen	etwas?[13]	Er klagt über[10]	Hexenschuß.[12]
	ihm			
	ihr			

				ich bin	etwas	erkältet.[15]
					stark[14]	
Was fehlt	Ihnen ?			er	ist	sehr	
	ihm ?			sie		
	ihr ?					
	ihnen ?			sie sind		

Ich wünsche	Ihnen	gute Besserung.[16]
	ihm	
	ihr	

Danke sehr. Ich werde es ausrichten.[17]

---

[1] excellent.
[2] so-so.
[3] unfortunately.
[4] not so good.
[5] with regard to health.
[6] with regard to business.
[7] *aussehen* (sep.), to look.
[8] pale.
[9] suffer from.
[10] complain of.
[11] *das Glied, –er*, limb, joint.
[12] lumbago.
[13] something wrong with you (him, her).
[14] strong(ly), heavy(ly).
[15] *erkältet sein*, to have a cold.
[16] recovery.
[17] to convey (a message).

Auf die Jungfrau

Am nächsten Morgen standen Hammonds früh auf, frühstückten um halb 7 Uhr und verließen das Hotel kurz nach sieben, nachdem sie das am Abend vorher[1] bestellte[2] Paket mit Proviant in Empfang[3] genommen hatten. Der Sohn des Hotelbesitzers[4] war so liebenswürdig,[5] sie mit dem Auto zum Bahnhof nach Interlaken zu bringen. Von dort fuhren sie mit einer Schmalspurbahn[6] bergan,[7] einen wild hinabstürzenden[8] Fluß entlang.[9] In Lauterbrunnen stiegen sie in eine andere Bergbahn um.[10] Nun ging es durch das herrliche Lauterbachtal[11] mit seinen steilen[12] Abhängen[13] und tosenden[14] Wasserfällen.[15] Zu beiden Seiten der Bahn waren senkrechte[16] Abhänge hunderte von Metern tief. Frau Hammond wagte[17] nicht hinunterzuschauen.[18] Auch ihrem Mann, der ab und zu[19] hinunterschaute, wurde es schwindlig.[20] Zur Sicherheit waren die Türen von außen durch Hebel verrammt. Sie waren froh,[21] als sie in Wengen aussteigen konnten, einem schön gelegenen[22] Ort auf einem Plateau zu Füßen der Jungfrau mit herrlicher Aussicht auf die schneebedeckten Berge.

Bald ging es weiter, noch höher hinauf nach Kleine Scheidegg, von wo aus sie eine wunderbare Aussicht auf die Jungfrau und ihre beiden Nachbarn[23] Eiger und Mönch genossen.[24] Unter ihnen lag Grindelwald, der bekannte Wintersports- und Ferienort zu Füßen des Wetterhorns.

[1] previously.
[2] *bestellen*, to order.
[3] *in Empfang nehmen = empfangen*, to receive.
[4] *der Besitzer*, –, proprietor.
[5] kind.
[6] narrow-gauge line.
[7] uphill.
[8] rushing down.
[9] along.
[10] *umsteigen, stieg um, ist umgestiegen*, to change.
[11] *des Tal, ⸚e*, valley.
[12] *steil*, steep.
[13] *der Abhang, ⸚e*, precipice.
[14] *tosen*, to rumble.
[15] *der Wasserfall, ⸚e*, waterfall.
[16] perpendicular.
[17] *wagen*, to dare.
[18] to look down.
[19] *ab und zu*, now and then.
[20] giddy.
[21] glad.
[22] situated.
[23] *der Nachbar, –n*, neighbour.
[24] *genießen, genoß, genossen*, to enjoy.

Von dort aus fuhren sie mit der Jungfraubahn auf die senkrecht steilen Felsen²⁵ des Eigers zu und dann in den Berg selbst²⁶ hinein eine Stunde lang durch einen Tunnel. Zweimal hielt²⁷ die Bahn innerhalb²⁸ des Berges an Stationen, auf denen die Reisenden ausstiegen, um²⁹ von der „Gallerie", einem Schaufenster an der Bergwand,³⁰ die Aussicht auf das Eismeer³¹ zu genießen.²⁴ Jungfraujoch, die Endstation,³² liegt über 3000 Meter über dem Meeresspiegel³³ und ist die höchste in Europa.

Die Aussicht war von unbeschreiblicher³⁴ Schönheit.³⁵ Vor ihnen breitete³⁶ sich der gewaltige³⁷ Aletschgletscher³⁸ aus, der größte in den Alpen, und dicht³⁹ hinter ihnen lag⁴⁰ der Gipfel⁴¹ der Jungfrau. Sie waren ganz⁴² von Eis und Schnee umgeben.⁴³ Das Eis funkelte⁴⁴ in der Sonne und sie mußten ihre Sonnenbrillen⁴⁵ aufsetzen, um die Augen zu schützen.⁴⁶ Zum Glück⁴⁷ hatten sie sie mitgenommen und sich auch warm angezogen.⁴⁸

²⁵ *der Felsen, –,* rock.
²⁶ itself.
²⁷ *halten (ä), hielt, gehalten.* to stop.
²⁸ inside (followed by the Genitive case).
²⁹ *um . . . zu,* in order to.
³⁰ *der Berg, –e,* mountain · *die Wand, ⸚e,* wall.
³¹ *das Eis,* ice ; *das Meer, –e,* sea.
³² terminus.
³³ *der Meeresspiegel, –e,* sea level.
³⁴ *unbeschreiblich,* indescribable.
³⁵ *die Schönheit, –en,* beauty.
³⁶ *sich ausbreiten* (sep.), to spread.

³⁷ *gewaltig,* huge.
³⁸ *der Gletscher, –,* glacier.
³⁹ close.
⁴⁰ *liegen, lag, gelegen,* to lie.
⁴¹ pinnacle.   ⁴² entirely.
⁴³ surrounded.
⁴⁴ *funkeln,* to sparkle.
⁴⁵ *die Sonne,* sun ; *die Brille, –n,* spectacles.
⁴⁶ to protect.
⁴⁷ *zum Glück,* fortunately.
⁴⁸ *sich anziehen, zog sich an, hat sich angezogen,* to dress ; to put on clothes.

NOTES

1. The impersonal expressions given in Fluency Practice No. 5 take a personal object in the Dative case.

2. For the difference between *als* and *wenn* see explanation **45**

3. Note the impersonal constructions :

   Es ist mir schwindlig. I feel giddy.
   Es ist mir kalt. I feel cold.
   Es ist ihm heiß. He feels hot.
   Es ist ihr übel. She feels sick.

   Alternative constructions are *mir (ihm, ihr, ihnen) ist schwindlig, kalt, übel,* etc. **(65)**

1. Am nächsten Morgen | verließen sie das Hotel. **55 (b), 79**
Um sechs Uhr | begannen sie die Bergbesteigung.
Sehr früh | standen sie auf.
Viel zu spät | ging sie in die Stadt.
Kurz nach fünf | kam der Arzt.[1]

[1] doctor.

2. Ich war froh, als | ich aussteigen konnte. **60, 80**
wir angekommen waren.
man mir den Weg zeigte.
man wieder zurückfuhr.

3. Als | ich ankam, | stand das Essen auf dem Tisch. **45, 80**
er dort war, | hatte das Konzert schon begonnen.
sie abfuhr, | war alles fertig.[1]
wir ankamen, | war noch nichts zu sehen.
Sie dort waren, | spielte die Musik.
sie abfuhren, | regnete es.

[1] ready.

80, 103
4. Wenn die | einen Ausflug machen, | müssen sie es
Hotelgäste | Proviant mitnehmen wollen, | vorher[1] sagen.
nicht zum Essen da sind,
spät zurückkommen,

[1] in advance.

5. Es ist | mir | warm. **33, 65**
Ihnen | zu heiß.
dir | kalt.
meinem Vater | schwindlig.[1]
ihm | übel.[2]
meiner Mutter | nicht gut.
ihr | komisch zu Mute.[3]

[1] giddy.
[2] sick.
[3] feel funny.

70

Ist Herr X. zu sprechen ? *Could I see Mr. X.? Is Mr. X. in?*

Wen darf ich melden ? *What name shall I give (lit. announce)?*

Wollen Sie bitte näher treten. *Will you please follow me (lit. step nearer).*

Herr X. ist	ausgegangen.	Mr. X.	has gone out.
	verreist.		has gone away.
	sehr beschäftigt und bedauert, Sie jetzt nicht empfangen zu können.		is very busy and regrets he is unable to receive you.

Womit kann ich Ihnen dienen ? *What can I do for you?*

Ich habe Ihnen freundliche Grüße von Herrn Braun aus Essen zu überbringen. *I have to convey to you friendly greetings from Mr. Brown in Essen.*

Besorgungen[1] *in der Stadt*

A: KUNDE *oder* KUNDIN[2]   B: VERKÄUFER(IN)[3] *oder* KASSIERER(IN)[4]-

AN DER THEATERKASSE[5]

A: Könnte ich bitte zwei Parkettplätze für Dienstag den sechs-
undzwanzigsten haben ?

B: Für die Nachmittagsvorstellung[6] oder abends ?

A: Ich ziehe die Abendvorstellung vor.[7] Wenn keine guten Plätze
zu haben sind, nehme ich welche[8] für nachmittags.

B: Im Parkett kann ich Ihnen zwei Plätze in der zwölften Reihe[9]
geben.

A: Und im ersten Rang ?

B: In der dritten Reihe an der Seite. Nummer 46 und 47 hier links.
[Zeigt die Plätze auf dem Plan.]

A: Das ist mir zu seitlich.[10] Ich nehme dann die Parkettplätze.
Die[11] sind mehr in der Mitte.[12]

IN DER APOTHEKE[13]

A: Wollen Sie bitte dieses Rezept[14] anfertigen.[15]

B: Es wird in einer halben Stunde fertig sein.

IM KAUFHAUS[16]

A: Könnten Sie mir den grünen Seidenschal[17] zeigen, den Sie im
Fenster haben.

---

[1] see Note 3.
[2] customer (*m.* and *f.*).
[3] salesman, saleslady.
[4] cashier (*m.* and *f.*).
[5] *die Kasse, –n*, cash desk, booking
office.
[6] *die Vorstellung, –en*, performance.
[7] *vorziehen, zog vor, vorgezogen*, to
prefer.
[8] some.

[9] *die Reihe, –n*, row.
[10] at the side.
[11] see explanation 28.
[12] *die Mitte*, middle.
[13] *die Apotheke, –n*, dispensary.
[14] *das Rezept, –e*, prescription.
[15] to make up.
[16] general store.
[17] *die Seide, –n*, silk ; *der Schal, –s*,
shawl.

[Die Verkäuferin zeigt einen Schal, der nicht ganz derselbe ist, den die Kundin im Schaufenster gesehen hat.]

B: Das ist er wohl.[18]

A: Das ist nicht ganz derselbe. Der, den Sie im Fenster haben gefällt mir besser.

B: Würden Sie mir bitte den Schal zeigen?

A: Der hellgrüne[19] dort oben. *[Die Verkäuferin holt[20] den Schal aus dem Fenster.]* Es ist echte[21] Seide, nicht wahr?

B: Garantiert echt.

A: Gut, ich nehme ihn.

B: Sonst noch etwas?[22]

A: Haben Sie solch eine Stricknadel?[23] Ich habe die andere verloren.[24]

B: Leider nicht ganz dieselbe. Diese ist fast die gleiche Stärke.[25]

A: Dann nehme ich lieber ein Paar von diesen. Was macht das, bitte?

B: 50 Pfennig die Nadeln und 12 Mark der Schal.

A: Wollen Sie mir bitte eine Rechnung für den Schal ausstellen. Ich brauche sie für die Zollkontrolle.

BEIM UHRMACHER

A: Wollen Sie bitte diese Uhr nachsehen[26] lassen. Sie bleibt oft stehen,[27] obwohl[28] sie aufgezogen[29] ist.

B: Die Uhr muß nur mal gereinigt[30] werden. Sonst[31] ist sie in Ordnung.

A· Wann kann ich sie mir abholen?[32]

---

[18] I suppose; that will be it.
[19] *hell*, light.
[20] *holen*, to fetch.
[21] real.
[22] *Sonst noch etwas?* Anything else?
[23] *stricken*, to knit; *die Nadel, –n*, needle.
[24] *verlieren, verlor, verloren*, to lose.
[25] strength, thickness.
[26] *nachsehen (sieht nach), sah nach,* *nachgesehen*, to examine, to inspect.
[27] *stehen bleiben, blieb stehen, ist stehen geblieben*, to stop.
[28] although.
[29] *aufziehen, zog auf, aufgezogen*, to wind up.
[30] *reinigen = rein machen*, to clean.
[31] otherwise.
[32] *abholen = holen*, to fetch.

B: Könnten Sie sie bis Mittwoch hierlassen, damit wir sie beobachten[33] und wenn nötig auch regulieren können ?

A: Ja, gewiß.[34] Ich hole sie mir dann am Mittwoch ab.

IN DER BANK (GELDWECHSEL)[35]

A: Könnten Sie mir bitte Reiseschecks einlösen ?[36]

B: Am Nebenschalter[37] bitte.

A: Zu welchem Kurs[38] lösen Sie Reiseschecks ein ?

B: Zum offiziellen Tageskurs.

A: Wie steht das Pfund heute ?

B: 11 Mark siebzig.

A: Gut. Also lösen Sie mir bitte einen Scheck zu zehn Pfund ein.

B: Wollen Sie bitte dieses Formular ausfüllen.

[33] observe.   [34] certainly.   [37] *neben*, next ; *der Schalter*, –
[35] *der Wechsel*, change, exchange.   counter.
[36] to cash.   [38] *der Kurs, –e*, rate (of exchange).

NOTES

1. Note from the examples given in Fluency Practice No. 3 that after *etwas*, *nichts* and whenever an adjective is used without reference to a particular noun, the neuter form of the adjective, ending in *–es*, is used.

2. Note from the examples in Fluency Practice No. 4 that with money, measurements, weights, etc., German uses
   (*a*) the definite article,
   (*b*) no plural endings.

3. *Ich kann es Ihnen besorgen*, I can get it for you.
   Können Sie mir eine Besorgung ausrichten? Can you do an errand for me ?

4. Note the use of *der, die, das* as antecedents of relative pronouns as shown in Fluency Practice Nos. 5 and 6 and see explanations 28 and 29.

FLUENCY PRACTICE

1. | Ich möchte | einen Seidenschal | **2, 69** |
    | Ich suche | einen Füllfederhalter | |
    | Bitte zeigen Sie mir | eine gute Aktenmappe[1] | |
    | Haben Sie | gutes Briefpapier | |
    | Wo bekomme ich | ein deutsch-englisches Wörterbuch[2] | |

[1] briefcase (from *die Akte, –n*, file, [2] *das Wörterbuch, ⸚er*, dictionary.
document).

2. | Das ist nicht die | Größe,[1] | die ich suche. | **35, 83** |
    | | Farbe,[2] | | |
    | | Qualität, | | |

[1] size.   [2] colour.

14 Note 4

3. | Das ist | zu | dünn. | Haben Sie | nichts | Dickeres ? |
    | Sie sind | etwas | dick. | Gibt es | etwas | Dünneres ? |
    | | sehr | lang. | | | Längeres ? |
    | | ziemlich[1] | kurz. | | | Kürzeres ? |
    | | | breit. | | | Breiteres ? |
    | | | schmal. | | | Schmäleres ? |
    | | | hell.[2] | | | Helleres ? |
    | | | dunkel.[3] | | | Dunkleres ? |
    | | | schwach.[4] | | | Schwächeres? |
    | | | stark.[5] | | | Stärkeres ? |

[1] rather.   [4] weak.
[2] light.   [5] strong.
[3] dark.

Ist das	der	beste,	den	Sie haben ?	**17, 35**
		längste,			
	die	kürzeste,	die	es gibt ?	
		hellste,			
	das	dunkelste,	das		
		stärkste,			

Sind das die	besten,	die Sie haben ?	**17, 35**
	längsten,	die es gibt ?	
	kürzesten,		
	hellsten,		
	dunkelsten,		
	dicksten,		
	dünnsten,		

4. Was kostet | der Meter ?
  | das Pfund ?
  | das Kilo ?
  | das Stück ?
  | das Dutzend ?

Was kosten	drei Meter	7, 47
Bitte geben Sie mir	fünf Pfund	
Ich möchte	fünf Stück	
Ich nehme	zwei Dutzend	

5. Das ist (nicht) | der, den | ich suche. | 28, 35
die, die	er haben möchte.
das, das	sie gekauft hat.
	wir im Schaufenster gesehen haben.
  Das sind (nicht) | die, die | |

6. Derjenige, der | das sagt, ist ein Lügner.[1] | 28, 29
  Der, der | das tut, ist ein Dieb.[2]
  Wer | das verkauft hat, ist ein Gauner.[3]

[1] liar.   [3] scoundrel.
[2] thief.

Diejenige, die | das sagt, ist eine Lügnerin.
Die, die | das tut, ist eine Diebin.
Wer | das verkauft hat, ist eine Gaunerin.

Dasjenige, das | ich gestern hatte, war nicht gut.
Das, das | Sie letzte Woche sahen, ist verkauft.
Was | Sie haben möchten, ist sehr teuer.

Diejenigen, die | wir sahen, gefielen[1] uns sehr.
Die, die | ich gekauft hatte, waren gut.

[1] Imperfect of *gefallen*, to please.

7. Wenn Sie keine Zeit haben, | komme ich ein anderes Mal[1] wieder.
  Wenn er jetzt nicht kann, | gehen wir wieder.
  Wenn wir es jetzt nicht | verschieben[2] wir es auf morgen.
      bekommen können, | lassen wir es.[3]
  Wenn keine guten Plätze | schicken Sie mir welche zu.
      zu haben sind, | lassen Sie es mich bitte wissen.
  Wenn es nicht geht,[4] |

[1] another time.   [3] leave it.
[2] postpone.   [4] cannot be done.

MAN KAUFT

beim Bäcker ⎫ Weißbrot (*n.*), Schwarzbrot (*n.*), Brötchen (*n.*),
in der Bäckerei ⎭ Kuchen (*m.*), Zwieback (*m.*),[1] Gebäck (*n.*).[2]

beim Konditor ⎧ Torte (*f.*), Törtchen (*n.*), Liebesknochen (*m.*),[3]
in der Konditorei ⎨ Sahnenbaiser (*n.*),[4] Windbeutel (*m.*) mit
　　　　　　　　 ⎩ Schlagsahne (*f.*).[5]

beim Fleischer ⎧ Rindfleisch (*n.*), Kalbfleisch (*n.*), Hammelfleisch
in der Fleischerei ⎨ (*n.*),[6] Schweinefleisch (*n.*), Wurst (*f.*),
　　　　　　　　 ⎩ Schinken (*m.*).[7]

beim Milchhändler ⎫ Milch (*f.*), Sahne (*f.*), Käse (*m.*), Butter (*f.*),
in der Milchhandlung ⎭ Ei, –er (*n.*).

beim Obsthändler ⎧ Obst (*n.*): Apfel, ⸚ (*m.*), Birne, –n (*f.*),
in der Obsthandlung ⎨ Kirsche, –n, Erdbeere, –n, Apfelsine, –n
　　　　　　　　 ⎩ (*f.*),[8] Weintraube, –n (*f.*).[9]

beim Gemüsehändler ⎧ Gemüse (*n.*): Bohne, –n (*f.*), Erbse, –n
in der Gemüsehandlung ⎨ (*f.*), Kohl (*m.*),[10] Blumenkohl (*m.*),[11]
　　　　　　　　 ⎩ Rosenkohl (*m.*)[12] Kartoffel, –n (*f.*).

beim Lebensmittelhändler ⎧ Tee (*m.*), Kaffee (*m.*), Zucker (*m.*),
in der Lebensmittelhandlung ⎨ Salz (*n.*), Sardine, –n. (*f.*), Kon-
　　　　　　　　 ⎩ serven (*f. pl.*).[13]

beim Buchhändler ⎧ Wörterbuch, ⸚er (*n.*),[14] Reiseführer, – (*m.*),[15]
in der Buchhandlung ⎨ Sprachführer, – (*m.*),[16] Landkarte, –n (*f.*),[17]
　　　　　　　　 ⎩ Stadtplan, ⸚e (*m.*).

---

[1] rusks.
[2] buns and small cakes.
[3] chocolate éclair.
[4] meringue.
[5] cream puff
[6] mutton.
[7] ham.
[8] orange.
[9] grapes.

[10] cabbage.
[11] cauliflower.
[12] Brussels sprouts.
[13] preserved food.
[14] dictionary.
[15] guide.
[16] phrasebook.
[17] map.

beim Schreibwarenhändler in der Schreibwarenhandlung	Briefbogen (*m.*), Briefumschlag, ⸗e (*m.*), Ansichtskarte, –n (*f.*), Füllfedertinte (*f.*).[18]

beim Apotheker in der Apotheke	ein Mittel[19] gegen Kopfschmerzen (Zahnschmerzen, Leibschmerzen,[20] Sonnenbrand,[21] Sonnenstich,[22] Frostbeulen,[23] Hühneraugen,[24] Verstopfung[25]), Verbandzeug (*n.*),[26] Pflaster (*n.*).[27]

beim Drogisten in der Drogerie	ein Stück (*n.*) Toilettenseife (*f.*), Waschseife (*f.*), Waschpulver (*n.*), Zahnpulver (*n.*), Zahnpasta (*f.*), Zahnbürste, –n (*f.*), Rasierklinge, –n (*f.*).[28]

[18] fountain-pen ink.
[19] remedy.
[20] stomach ache.
[21] sunburn.
[22] sunstroke.
[23] chilblains.

[24] corns.
[25] constipation.
[26] dressing.
[27] sticking-plaster.
[28] razor blade.

MAN LÄSST SICH

beim Friseur	das Haar schneiden, rasieren,[1] den Kopf waschen.
bei der Friseuse	frisieren,[2] eine Dauerwelle[3] (Wasserwelle) legen.
beim Schuhmacher	Schuhe anfertigen,[4] reparieren, besohlen,[5] Absätze[6] machen.
in der Wäscherei	die Wäsche waschen.
beim Schneider	einen Anzug[7] (ein Kostüm) machen.
bei der Schneiderin	ein Kleid (eine Bluse, einen Rock[8]) machen.

[1] shave.
[2] set.
[3] permanent (water) wave.
[4] make.

[5] sole.
[6] *der Absatz*, ⸗e, heel.
[7] suit.
[8] skirt.

Diese passen mir nicht. *These do not fit me.*
Diese Farbe steht mir (ihm, ihr) nicht.
   This colour does not suit me (him, her).
Das ist genau (nicht ganz) was ich suche.
   That's exactly (not quite) what I am looking for.

Am See

A: FRAU HAMMOND   B: FRAU MEIER

A: Was haben Sie heute vor ?[1]

B: Wir wollen schwimmen gehen.

A: Und nachher ?[2]

B: Nichts Bestimmtes.[3]

A: Wenn Sie heute abend nichts Besonderes[4] vorhaben, wollen
Sie uns das Vergnügen[5] machen, mit uns in der Stadt zu speisen ?[6]
Es soll[7] eine kleine Abschiedsfeier[8] sein.

B: Mit größtem Vergnügen. Schade,[9] daß Sie schon abfahren.
Könnten Sie nicht etwas länger bleiben ?

A: Leider nicht. Es gefällt[10] uns hier sehr und wir möchten gern
länger bleiben, aber mein Mann muß am ersten zurück sein.
Wie lange bleiben sie noch ?

B: Wir sind seit dem 23ten hier und bleiben vierzehn Tage, also[11]
bis zum 5ten.

A: Ich wünschte ich könnte länger hierbleiben. Es geht leider nicht.

B: Wo ist Ihr Gatte ?[12] Mein Mann holt[13] den Wagen.

A: Meiner wartet[14] auf den Briefträger.[15]

B: Der ist doch schon vorbei.[16] Ich sah ihn kommen.

A: Dann braucht er nicht länger zu warten. Ich geh's ihm sagen.

---

[1] *vorhaben (hat vor), hatte vor, vorgehabt,* to intend to do.
[2] afterwards.
[3] *nichts Bestimmtes,* nothing definite.
[4] *nichts Besonderes,* nothing special.
[5] *das Vergnügen machen,* to give the
pleasure.
[6] *speisen,* to dine.
[7] is supposed.
[8] *der Abschied,* farewell ; *die Feier,
—n,* celebration.

[9] short for *es ist schade,* it is a pity.
[10] *es gefällt mir (uns),* I (we) like it.
[11] *also,* that is.
[12] *der Gatte, —n,* husband (see also
Lesson II, Note 3.)
[13] *holen,* to fetch.
[14] *warten auf,* to wait for.
[15] *der Briefträger, —,* postman.
[16] *der ist doch schon vorbei,* but he has
already been.

79

B: Wollen Sie nicht ins Schwimmbad mitkommen ?

A: Ich werde meinen Mann fragen, ob er dazu Lust hat.[17] Er selbst[18] wird nicht schwimmen können, da[19] er sich den Arm verletzt[20] hat.

B: Wenn Sie mitkommen, vergessen Sie nicht, Ihr Badezeug[21] mitzubringen.

[*Frau Hammond ist eine gute Schwimmerin. Sie springt vom Sprungbrett[22] mit einem Kopfsprung[23] ins Wasser und schwimmt weit in den See hinaus. Meiers wagen[24] sich nicht weiter hinaus, als sie festen[25] Boden[26] unter den Füßen haben. Herr Hammond hat sich auf die Terrasse eines Gartenlokals[27] direkt am Seeufer[28] gesetzt und beobachtet[29] das rege[30] Leben auf dem See, auf dem hunderte von Segelbooten, Ruderbooten und Paddelbooten in allen Richtungen[31] herumfahren.[32]*]

[17] *ob er dazu Lust hat,* if he feels like it.
[18] *er selbst,* he himself.
[19] as.
[20] *sich verletzen,* to hurt oneself.
[21] *das Badezeug, –e,* bathing things.
[22] *der Sprung, ⸚e,* jump ; *das Brett, –er,* board.
[23] head dive.
[24] *sich wagen,* to dare.
[25] *fest,* firm.

[26] *der Boden, ⸚,* ground.
[27] *das Gartenlokal, –e,* garden establishment.
[28] *der See, –n,* lake ; *das Ufer, –,* bank.
[29] *beobachten,* to observe.
[30] lively, active.
[31] *die Richtung, –en,* direction.
[32] drive about.

NOTES

1. *Wir sind drei Tage hier.* We have been here for three days.
   Wir leben schon zehn Jahre hier. We have lived here for ten years.

   Actions that started in the past and continue in the present, which in English are expressed in the Perfect Tense, are, in German, in the Present Tense.

   Note also: *Wann sind Sie geboren?* When were you born?

2. *Wir essen um zu leben, aber wir leben nicht um zu essen.*
   Um zu is the German for " in order to."

3. For the combination of *da* with prepositions see explanation **33**.

   e.g. *Er hat dazu keine Lust.* He does not feel like it.

FLUENCY PRACTICE

1.

Am ersten	müssen wir	abfahren.	**14, 48**
Am zweiten	muß ich	zurück sein.	
Am dritten	mußt du	es zurückgeben.	
Am vierten	müßt ihr	die Rechnung bezahlen.	
Am zwanzigsten	müssen Sie	das Geld abschicken.[1]	
Diese Woche	muß sie	die Arbeit beenden.[2]	

[1] to send off.　　　　　　　　[2] to finish.

2.

Ich sah	den Mann	kommen	**62, 69**
Ich hörte	ihn	fortgehen	
Ich ließ	die Frau	hinaufgehen	
Hörten Sie	sie	hinuntergehen	
Ließen Sie	das Kind	das Fenster schließen	
	es		

3.

Wollen wir	schwimmen	gehen	**59, 62**
Wollen Sie	tanzen	lernen	
Willst du	Schi laufen	lehren	
Wollt ihr	Schlittschuh laufen[1]		
Ich will			
Ich möchte gern			

[1] skating.

4.

65, 85

Wie gefällt es	Ihrem Gatten	hier? Es ge-	ihm	sehr gut.
	Ihrer Gattin	fällt	ihr	ausgezeichnet.
	Ihren Kindern		ihnen	nicht.
	Ihnen		mir	
	dir		uns	
	euch			

Wie hat es . . . dort gefallen? Es hat . . . gefallen.

5.

Ich bin	schon	drei Tage	hier. **54 (a), 104**
Wir sind	erst	zwei Wochen	dort.
Du bist		einen Monat	in Österreich.
Ihr seid		seit dem dritten	in der Schweiz.
Sie sind		seit Sonntag	in dieser Stadt.

6. Ich habe mir | die Hand verletzt[1]
   Er hat sich | die Zunge verbrannt[2]
   Haben Sie sich | in den Finger geschnitten[3]
   Hast du dir | den Fuß verstaucht[4]
   Hat sie sich | den rechten Arm gebrochen[5]

[1] *verletzen*, to hurt.
[2] *verbrennen, verbrannte, verbrannt,* to burn.
[3] *schneiden, schnitt, geschnitten,* to cut.
[4] *verstauchen*, to sprain.
[5] *brechen (i), brach, gebrochen,* to break.

INTRODUCING PEOPLE

Darf ich vorstellen ? *or* Darf ich (die Herrschaften) bekannt machen ?
Herr Schmidt — Fräulein Müller.
Mein Kollege Herr Blau — Frau Rechtsanwalt Grün.

The person to whom someone is introduced says :
Sehr angenehm *or* Freut mich sehr, Sie kennen zu lernen *or* Freut mich sehr, Ihre Bekanntschaft zu machen,

to which the other replies :
(Das Vergnügen ist) ganz meinerseits.

This exchange is repeated when taking leave :
Es hat mich sehr gefreut, Sie kennen gelernt (*or* Ihre Bekanntschaft gemacht) zu haben,

to which the usual reply is :
Es hat mich auch sehr gefreut *or* Das Vergnügen war ganz meinerseits.

Der Abschied

A : HERR HAMMOND   B : FRAU HAMMOND   C : DIE HOTELINHABERIN
D : HERR MEIER   E : FRAU MEIER

A : Morgen früh fahren wir ab. Wollen Sie uns bitte die Rechnung ausstellen.[1]

C : Ich hoffe, Sie haben sich bei uns wohl gefühlt.[2]

A : Wir waren in jeder Beziehung[3] sehr zufrieden.[4]

C : Das freut[5] mich. Wir bemühen[6] uns stets,[7] unser Bestes zu tun, um unsere Gäste zufriedenzustellen.[8]

A : Das gelingt[9] Ihnen vortrefflich.[10] Wir kommen dann später die Rechnung begleichen[11] und uns verabschieden.[12]

   [*Am Abend führten[13] Hammonds, wie verabredet,[14] das Ehepaar[15] Meier aus. Trotzdem[16] sie reichlich[17] getrunken hatten, kehrten[18] sie unversehrt[19] zum Hotel zurück.*]

E : Wir danken Ihnen sehr für den schönen Abend.

D : Wir haben uns gut amüsiert.[20]

E : Das Essen war vortrefflich.

D : Und die Getränke ebenfalls.[21]

A : Wir wollen uns jetzt verabschieden, denn wir fahren morgen früh schon kurz nach sieben Uhr ab.

---

[1] to make out.
[2] *sich wohl fühlen,* to feel well.
[3] *die Beziehung, –en,* connection, respect.
[4] satisfied.
[5] *das freut mich,* I am glad.
[6] *sich bemühen,* to endeavour.
[7] always.
[8] to satisfy.
[9] see explanation **94**.
[10] admirable, admirably.
[11] *die Rechnung begleichen,* to settle the account.
[12] *sich verabschieden,* to say good-bye.
[13] *ausführen* (sep.), to take out.
[14] arranged.
[15] *die Ehe, –n,* marriage (but not the ceremony, which is *die Hochzeit, –en*) ; *das Paar, –e,* pair, couple
[16] although.
[17] abundantly.
[18] *zurückkehren* (sep.), to return.
[19] unhurt, safe.
[20] *sich amüsieren,* to have a good time.
[21] likewise.

E: Wir werden dann auch schon auf sein. Mein Mann kann Sie zur Bahn bringen.

A: Es ist wirklich[22] nicht nötig.[23] Der Sohn der Inhaberin hat versprochen, uns hinzufahren.

E: Wir wollen Sie nicht länger aufhalten,[24] Sie werden wohl noch packen müssen.

B: Alles ist fix[25] und fertig gepackt.

D: Ich hoffe, Sie werden von sich hören lassen.[26] Hier ist meine Karte.

B: Sie sind also Arzt.[27] Das hätte ich mir denken können, als Sie meinem Mann den Arm so fachmännisch[28] verbunden hatten.

A: Ich habe keine Karte bei mir. Ich werde Ihnen meine Adresse aufschreiben.[29] Wir

```
Telefon 87 56 79

        Dr. Kurt Meier
        PRAKTISCHER ARZT

BERLIN-DAHLEM        Sprechstunden
Ahornallee 27          9-II : 5-7
```

wohnen in einem Vorort[30] von London. Wenn Sie mal nach England kommen, müssen Sie uns besuchen.[31] Und hier sind Abzüge[32] von meinen Aufnahmen,[33] d.h.[34] die, die am besten gelungen sind.

E: Vielen Dank! Es ist ein schönes Andenken[35] an die angenehmen[36] Stunden, die wir zusammen verbracht[37] haben.

B: Es hat uns sehr gefreut, Ihre Bekanntschaft[38] gemacht zu haben.

D und E: Gute Reise und alles Gute.[39]

A und B: Viel Vergnügen für den Rest Ihrer Ferien.

---

[22] really.
[23] necessary.
[24] *aufhalten (hält auf), hielt auf, aufgehalten,* to hold up.
[25] *fix und fertig,* quite ready.
[26] you will let us hear from you.
[27] *der Arzt, ⸚e,* doctor.
[28] expertly.
[29] write down.
[30] *der Vorort, -e,* suburb.
[31] visit.

[32] *der Abzug, ⸚e,* print.
[33] *die Aufnahme, -en,* snapshot.
[34] *das heißt,* i.e.
[35] *das Andenken, -,* keepsake.
[36] pleasant.
[37] *verbringen, verbrachte, verbracht,* to spend (time).
[38] *die Bekanntschaft, -en,* acquaintance.
[39] *alles Gute,* all the best.

1. *Wir gehen heute nicht an den Strand, denn wir müssen packen.*
   (for we have to pack)

   Wir gehen heute nicht an den Strand, weil wir packen müssen.
   (because we have to pack)

   Although there is hardly any difference in meaning between these two sentences, there is a difference in construction.

   Denn (like *und, aber, oder*) is a conjunction which joins together sentences without affecting the order of words. (**43**)

   Weil (like *da, als, wenn, während, nachdem, trotzdem,* and the relative pronouns) is a conjunction at the beginning of a subordinate clause in which the verb (or auxiliary) is at the end of the sentence. (**44**)

2. *Trotz des schlechten Wetters gingen wir aus.*
   In spite of the bad weather we went out.

   Trotzdem das Wetter schlecht war, gingen wir aus.
   Although the weather was bad, we went out.

   Während des Regens stellten wir uns unter.
   During the rain we took shelter.

   Während es regnete, stellten wir uns unter.
   While it rained we took shelter.

   Nach dem Regen gingen wir spazieren.
   After the rain we went for a walk.

   Nachdem es ausgeregnet hatte, gingen wir weiter.
   After it had stopped raining, we walked on.

   Trotz (in spite of), *während* (during) and *nach* (after) are prepositions.

   Trotzdem (although), *während* (while) and *nachdem* (after) are conjunctions in front of a subordinate clause. (**46**)

3. *Die Sachen sind gepackt.* The things are packed.
   Die Sachen werden gepackt. The things are being packed.
   Note how the difference between a state (sentence 1) and an action (sentence 2) is expressed in the two languages. (**61**)

1.

wir sind	mit der Behandlung[1]	sehr	zufrieden.	8
Sie waren	mit der Bedienung[2]	äußerst[4]		
ich bin	mit der Verpflegung[3]	nicht sehr		
ich war	mit dem Hotel	gar nicht[5]		

[1] treatment.   [4] extremely.
[2] service.   [5] not at all.
[3] food.

2.

Es freut mich,	das zu hören.	66
Es hat mich gefreut,	Ihre Bekanntschaft zu machen.	
Es wird mich freuen,	Sie wiederzusehen.	

3.

ich habe mich	hier wohl gefühlt.	34, 66
wir haben uns	dort gut amüsiert.	
du hast dich	von ihnen verabschiedet.	
ihr habt euch	sehr bemüht.[1]	
Sie haben sich	bei ihnen bedankt.[2]	

[1]*sich bemühen*, to take pains.   [2] *sich bei jemand bedanken*, to express one's thanks to someone.

4.

Ich hoffe,	Sie haben sich gut amüsiert.	66, 67
	Sie haben sich bei uns wohl gefühlt.	
	Sie bald wiederzusehen.	
	Sie werden uns schreiben.	
	Sie werden von sich hören lassen.	
	Sie werden uns bald wieder besuchen.	

5.

Ich danke	Ihnen	für den schönen Abend.	67, 68
	dir	für das schöne Andenken.	
	euch	für die freundliche Einladung.	

39, 46

6.

Trotz	des schlechten Wetters	hatten wir schöne Ferien.
	der starken Kälte	gefiel es uns dort sehr.
	der großen Hitze	machten wir täglich Spaziergänge.
Trotzdem*	das Wetter schlecht war,	stiegen wir auf die Berge.
Obgleich*	es sehr heiß war,	spielten wir Tennis.
Obwohl*	es sehr kalt war,	ruderten wir auf dem See.

* Each of these three words means " although."

86

CONGRATULATIONS AND GOOD WISHES

Ich gratuliere herzlichst	zum Geburtstag. (*birthday*)
	zu Ihrer Verlobung. (*engagement*)
or Herzlichen Glückwunsch	zu Ihrer Vermählung.(*wedding*)
	zum Hochzeitstag. (*wedding anniversary*)

Frohe	Ostern. (*Easter*)
	Pfingsten. (*Whitsun*)
	Weihnachten. (*Christmas*)
	Ferien. (*holiday*)
Frohes	Fest. (*any festival*)
	Neues Jahr. (*New Year*)

Alles Gute ! (*All the best!*)

Gute	Reise. (*Pleasant journey*)
	Besserung. (*Speedy recovery*)

Viel Vergnügen !
Amüsieren Sie sich gut ! } (*Wishing a good time*)

In reply you say either danke schön *or* danke gleichfalls (*the same to you*).

87

Grammatical Explanations

THE FOUR CASES

Der Herr zeigt der Dame ein Bild seines Hauses

Nominative	Dative	Accusative	Genitive

1. The Nominative case denotes the subject of the sentence.

2. The Accusative case denotes the direct object, i.e. the person or thing directly affected by an action.

3. The Dative case is used to denote the indirect object, i.e. the person to whom we speak, write, give, show, etc. or whom we answer, thank, help, believe, follow, etc.

4. The Genitive case expresses possession.

In modern German, especially in the spoken language, the Genitive is often replaced by *von* + the Dative, e.g. instead of *ein Bild seines Hauses* the form *ein Bild von seinem Haus* may be used.

THE DEFINITE ARTICLE

5.

	MASCULINE	FEMININE	NEUTER	PLURAL
Nom.	*der*	*die*	*das*	*die*
Acc.	*den*	*die*	*das*	*die*
Gen.	*des*	*der*	*des*	*der*
Dat.	*dem*	*der*	*dem*	*den*

6. The following are declined like the definite article:

dieser	*diese*	*dieses*	this
jener	*jene*	*jenes*	that
jeder	*jede* (pl. *alle*) *jedes*		each
welcher	*welche*	*welches*	which
mancher	*manche*	*manches*	many(a)

7. Note the use of the definite article in cases where English has no article, the indefinite article or a possessive adjective:

Der kleine Hans. Little Hans.

Die Äpfel kosten vierzig Pfennig das Pfund.
Apples are 40 pfennings a pound.

Der Kopf tut mir weh. My head aches.

Wir fahren mit dem Zug nach der Schweiz.
   We go by train to Switzerland.

Die Albertstraße ist ziemlich lang.
   Albert Street is rather long.

Der Juli (der Sommer) war sehr heiß.
   July (summer) was very hot.

Nach dem Frühstück gingen wir zur Arbeit (zur Schule).
   After breakfast we went to work (to school).

Der Mensch ist sterblich. Man is mortal.

Das Geld ist knapp. Money is scarce.

Die Deutschen trinken viel Bier.
   Germans drink a lot of beer.

THE INDEFINITE ARTICLE

8.

	MASCULINE	FEMININE	NEUTER
Nom.	*ein*	*eine*	*ein*
Acc.	*einen*	*eine*	*ein*
Gen.	*eines*	*einer*	*eines*
Dat.	*einem*	*einer*	*einem*

9. *Mein, dein, sein, unser, euer, ihr* and *kein* have the endings of
the indefinite article in the singular, those of the definite article
in the plural. They, as well as *ein*, can be used as pronouns, in
which case *–er* is added to the Nominative case, masculine sing ır
and *–es* (or *–s* in the colloquial language) to both the Nominative
and Accusative cases, neuter singular, e.g. *Ist das Ihr Hut? — Ja,
das ist meiner. — Haben Sie ein Buch ? — Ja, ich habe eins. — Ist
das Ihr Garten ? — Ja, das ist unserer.*

10. The article is omitted when a person's nationality, religion or
occupation is referred to, e.g. *er ist Deutscher (Katholik, Lehrer).*
When a definite person is specified the definite article is used, e.g.

   Sind Sie Arzt? Are you a doctor ?

   Sind Sie der Arzt, den wir haben rufen lassen?
      Are you the doctor whom we called ?

THE NOUN

11. ENDINGS

(a) All neuter and most masculine nouns add –*s* in the Genitive singular ; those of one syllable have –*es*, e.g. *das Haus, des Hauses.*

(b) The Genitive –*s* is also added to proper names when used without the article and in familiar language to such name-substitutes as *Vater, Mutter, Onkel, Tante*, etc. (*Gretes neues Kleid, Tantes Geburtstag, die Straßen Berlins*), except those ending in –*s*, –*x* –*z* (*die Straßen von Paris, der Vater von Fritz*[1]).

(c) Feminines have no endings in the singular (except the Genitive –*s* added to proper names).

(d) The Dative plural ends in –*n*.

(e) Masculines ending in –*e* (and also *der Herr* and a few others[2]) add –*n* in all cases, except the Nominative singular, e.g. *der Knabe, des Knaben ; der Herr, des Herrn.*

(f) The following nouns add –*en* in all cases, except the Nominative singular: *der Mensch* (person), *der Bär* (bear), *der Held* (hero), *der Graf* (count), *der Narr* (fool), *der Soldat* (soldier), *der Student, der Kandidat, der Präsident.*

(g) The following nouns also add –*n* or –*en* in all cases except the Genitive singular, where –*ns* or –*ens* is added: *das Herz* (heart) *der Name* (–*n*),[3] *der Friede* (–*n*),[3] *der Funke* (–*n*)[3] (spark), *der Gedanke* (thought), *der Wille.*[3]

Masculine and neuter nouns of one syllable can add –*e* in the Dative singular. This ending is becoming obsolete, except in poetry and some set phrases, e.g. *zu* (*von, nach*) *Hause, die Vögel im Walde* (the birds in the forest), *die Blätter rascheln im Winde* (the leaves are rustling in the wind).

---

[1] also *Fritzens Vater.*
[2] e.g. *der Bauer* (farmer), *der Nachbar* (neighbour), *der Ungar* (Hungarian).
[3] occurs in the Nominative singular with and without –*n*.

12. PLURAL

(*a*) Plural in *–e*. Most masculines and many neuters, a few feminines.[1] Most of the masculines, all of the feminines and none of the neuters have umlaut.

      der Hut, die Hüte.   *das Boot, die Boote.*

      der Tag, die Tage.   *das Jahr, die Jahre.*

(*b*) Plural in *–n* (*–en*). Nearly all the feminines, the masculines mentioned in section **11** (*e-g*)[2] and a few neuters.[3] No umlaut.

      die Dame, die Damen.   *der Herr, die Herren.*

      die Frau, die Frauen.   *der Soldat, die Soldaten.*

      der Knabe, die Knaben.

(*c*) Plural in *–er*, umlaut. Most neuters of one syllable and a few masculines.

      das Buch, die Bücher.   *der Mann, die Männer.*

      das Haus, die Häuser.   *der Wald, die Wälder.*

(*d*) Plural without ending, often with umlaut. Masculine and neuter nouns ending, in *–el, –en, –er*.

      der Löffel, die Löffel.   *das Fenster, die Fenster.*

      der Garten, die Gärten.   *der Bruder, die Brüder.*

To this group also belong:

   (i) Words ending in *–chen* or *–lein* (which are all neuter):

      das Mädchen, die Mädchen.

      das Fräulein, die Fräulein.

  (ii) *die Mutter, die Mütter.*

      die Tochter, die Töchter.

(*e*) Plural in *–s*, no umlaut. Many foreign nouns.

      das Auto, die Autos.   *das Café, die Cafés.*

      das Restaurant, die Restaurants.

They take the *–s* ending of the Genitive singular, but not the *–n* of the Dative plural.

(*f*) Some foreign nouns form plurals ending in *–ien* or *–en*.

      das Material, die Materialien.   *das Studium, die Studien.*

      das Museum, die Museen.   *die Firma, die Firmen.*

---

[1] *die Hand, die Kuh, die Nacht, die Frucht, die Wand, die Wurst, die Stadt.*

[2] also *der Schmerz* (pain), *der Dorn* (thorn), *der See* (lake), *der Doktor, der Psalm.*

[3] *das Ohr, das Auge, das Bett, das Hemd, das Insekt.*

1. Compound nouns take the plural (and gender) of the last component, e.g.
    der Handschuh, die Handschuhe ;
    das Schuhgeschäft, die Schuhgeschäfte ;
    die Streichholzschachtel, die Streichholzschachteln.[4]

2. Feminine nouns in *–in* add *–nen*, e.g.
    die Königin, die Königinnen.

[4] If the last component is *–mann*, the plural is usually *–leute*, e.g. *der Kaufmann*, business man, pl. *die Kaufleute.*

13.   GENDER

Although there are no rules which cover all words, the following will be found useful.

MASCULINE are:

Names of males, stones, days, months, seasons.

FEMININE are:

(a) Names of female beings (except those ending in *–chen* and *–lein*).

(b) Most words ending in *–e*, except male beings.

(c) Words ending in *–ei, –heit, –keit, –ung, –schaft, –in.*

(d) Words of foreign origin ending in *–ion, –ie, –ik, –tät.*

NEUTER are:

(a) Words ending in *–chen* and *–lein*. Either of these endings may be added to any noun to form a diminutive.

(b) The Infinitive when used as a noun (*das Essen*).

(c) Names of metals, countries, towns, except *die Schweiz* (Switzerland), *die Türkei, die Tschechoslovakei, die Vereinigten Staaten* (U.S.A.).

(d) Most nouns with the prefix *Ge–*.

NOTE. A compound noun has the gender of its last part, e.g. *das Blei* (lead) + *der Stift* (stick) = *der Bleistift* (pencil).

THE ADJECTIVE

The adjective has no ending when it is used predicatively, e.g.
Er ist krank. Diese Bananen sind schlecht.

14. ENDINGS

(a) When preceded by the definite article or a word declined like it:

	MASCULINE	FEMININE	NEUTER	PLURAL
Nom.	e	e	e	en
Acc.	en	e	e	en
Gen.	en	en	en	en
Dat.	en	en	en	en

(b) When preceded by the indefinite article or a word declined like it:

	MASCULINE	FEMININE	NEUTER	PLURAL
Nom.	er	e	es	en
Acc.	en	e	es	en
Gen.	en	en	en	en
Dat.	en	en	en	en

(c) When the adjective precedes the noun with no article or other declinable word (in plural also after *einige* and *mehrere*):

	MASCULINE	FEMININE	NEUTER	PLURAL
Nom.	er	e	es	e
Acc.	en	e	es	e
Gen.	en	er	en	er
Dat.	em	er	em	en

NOTES

1. The Accusative is the same as the Nominative, with the exception of the masculine singular.

2. *–en* is the ending for the masculine Accusative as well as for all Genitive and Dative forms in both groups (a) and (b).

3. Genitive and Dative in group (c) rarely occur in the spoken language and are given for reference only.

4. After *etwas, nichts, viel* and *wenig* the neuter forms of group (c) are used, e.g. *nichts Neues*, nothing new ; *etwas Gutes*, something good.

93

15. Present and Past Participles can be used as adjectives, e.g.
> *fließendes Wasser,* running water.
> *ihre erwachsene Tochter,* her grown-up daughter.
> *sein verkrüppelter Arm,* his crippled arm.

From the names of towns indeclinable adjectives are formed, ending in *–er*, e.g. *Frankfurter Würstchen.*

16. Adjectives can be used as nouns. They are spelt with a capital letter and take the same endings as adjectives preceding nouns.

der Alte, the old man	*ein Alter,* an old man
die Alte, the old woman	*eine Alte,* an old woman
der Reisende, the traveller	*die Reisenden,* the travellers
ein Reisender, a traveller	*Reisende,* travellers

Other such nouns which have not shed their adjectival origin are *der Beamte,* official; *der Angestellte,* employee; *der Deutsche,* German. The corresponding feminines are *die (eine) Angestellte, Reisende, Deutsche,* but the lady official is *die (eine) Beamtin.*

17.   COMPARISON

POSITIVE	COMPARATIVE		SUPERLATIVE		
arm	*ärmer*	*der*	*ärmste*	or *am*	*ärmsten*
interessant	*interessanter*	*die*	*interessanteste*		*interessantesten*
nah	*näher*	*das*	*nächste*		*nächsten*
hoch	*höher*		*höchste*		*höchsten*
gut	*besser*		*beste*		*besten*
viel	*mehr*		*meiste*		*meisten*

The first two examples show the regular pattern. Words of one syllable take the umlaut.

The superlative has two forms. The form with *der, die, das* is used when several objects of the same kind are compared, e.g.
> *Der Mont Blanc ist der höchste Berg in den Alpen.*

The form with *am* is used to express the idea that a thing is at its highest degree (i.e. when in English the definite article is omitted), e.g.
> *Dort ist es am besten.* It is best there.

Note from the following examples the translation of " as . . . as,"
" not so . . . as," and " than."

> *Mein Bruder ist* SO *groß* WIE *Sie.*
> *Mein Bruder ist* NICHT SO *groß* WIE *Sie.*
> *Mein Bruder ist größer* ALS *Sie.*

18.   THE ADVERB

Most adjectives can be used as adverbs. They form the comparative in the same way as the adjective. The superlative takes the following forms:

IN COMPARISONS	AS AN ABSOLUTE SUPERLATIVE[1]
am schönsten	*aufs schönste*
am höchsten	*aufs höchste*
am besten	*aufs beste*

Some adverbs form the following superlatives:

frühestens, at the earliest	*wenigstens* ⎫
spätestens, at the latest	*mindestens* ⎬ at least
höchstens, at the most	⎭

[1] i.e. to indicate that something has been done in the best (most beautiful, most awful, etc.) way.

19.   Some adverbs differ from the adjective, usually with a changed meaning:

glücklich, happy, happily	*glücklicherweise*, fortunately
unglücklich, unhappy, unhappily	*unglücklicherweise*,[1] unfortunately
neu, new, newly	*neulich*, recently
möglich, possible	*möglicherweise*, possibly
gut, good, well	*wohl*, presumably[2]

[1] or *leider*.
[2] "Well" only in the sense of "to be (or feel) well," e.g. *er fühlt sich*

nicht wohl; also in *Schlafen Sie wohl!* Sleep well! but *Haben Sie gut geschlafen?* Did you sleep well?

20.   Not all adverbs are derived from adjectives.

Note the comparison of

> *gern*: *lieber, am liebsten* or *liebstens*
> *viel*: *mehr, am meisten* or *meistens*
> *bald* ⎰ *eher, am ehesten* or *ehestens*
>   ⎱ *früher, am frühesten* or *frühestens*

95

21. Some German adverbs are the equivalents in meaning of English verbs:

Hoffentlich kommt er bald.	I hope he'll come soon.
Ich sah sie zufällig.	I happened to see her.
Er ist wohl krank.	I suppose he is ill.
Ich esse gern Erdbeeren.	I like strawberries.

22. ADVERBS OF PLACE

A distinction is made between adverbs denoting being somewhere and those indicating movement towards or away from the person speaking. Compare the following:

Wir sind hier oben.	We are up here.
Kommen Sie auch herauf.	Come up too.
Sie sind dort unten.	They are down there.
Gehen Sie auch hinunter?	Are you going down too?

(a) Adverbs indicating being somewhere. They answer the question *wo?*

oben,	up, upstairs	*vorn,*	in front
unten,	down, downstairs	*hinten,*	at the back
drinnen,	inside, indoors	*hier,*	here
draußen,	outside, outdoors	*dort,*	there
drüben,	on the other side		

(b) Adverbs indicating movement. They answer the question *wohin?*

If they express movement towards the speaker they begin with *her–*, if away from the speaker, with *hin–*.[1]

herein,	in here	*hinein,*	in there
heraus,	out here	*hinaus,*	out there
herauf,	up here	*hinauf,*	up there
hierher,	here	*dorthin,*	there
herunter,	down here	*hinunter,*	down there
herüber,	over here	*hinüber,*	over there
hervor,	out from		

---

[1] The adverbs of position listed above under (a) can also be used to indicate movement if preceded by either *von* or *nach*, e.g. "Come down" could be either *komm herunter* or *komm nach unten*; and "I am coming from there" could be either *ich komme daher* or *ich komme von dort.*

All these adverbs may be combined with verbs as separable prefixes (see section **60**). The adverbs in group (*a*) cannot be thus used. As prefixes to verbs *her* is often used instead of *hierher*, *hin* for *dorthin* (*herkommen*, *hingehen*).

23. ADVERBS AND ADVERBIAL EXPRESSIONS OF TIME

morgens or *am Morgen*	in the morning
abends or *am Abend*	in the evening
nachts or *in der Nacht*	at night
tagsüber or *am Tage*	in the day time
jeden Tag *alle Tage* }	every day
eines Tages	one day
eines Sonntags	one Sunday
am dritten Juli	on July 3rd

vom ersten bis zum einunddreißigsten Mai,
    from May 1st to 31st
den ganzen Tag (Abend, Nachmittag, Monat),
    the whole day (evening, afternoon, month)

das ganze Jahr	the whole year
die ganze Woche	the whole week

this . . .	*diesen*	*Monat*	*diese*	*Woche*	*dieses*	*Jahr*
last . . .	*vorigen*	*Sonntag*	*vorige*	*Stunde*	*voriges*	
next . . .	*nächsten*	*Montag*	*nächste*		*nächstes*	

heute in acht Tagen	to-day week
heute in vierzehn Tagen	to-day fortnight
stundenlang	for hours
tagelang	for days
wochenlang	for weeks
monatelang	for months
jahrelang	for years

Er kommt	*nächsten Sonntag.*	He comes	next Sunday.
	am ersten Juli.		on the first of July.
	montags und		on Mondays and
	donnerstags.		Thursdays.
	jeden Dienstag und		each Tuesday and
	Freitag.		Friday.

The time when an action takes place is expressed either by *am* with the Dative case, or by the Accusative case without preposition. An action which regularly happens is expressed by either the Genitive case or the Accusative case of *jeder, –e, –es.*

POSSESSIVES

Dies ist mein Hut	*Dies ist meiner* (=mine)
↓	↓
Possessive Adjective	Possessive Pronoun

24. POSSESSIVE ADJECTIVES

MASC.	FEM.	NEUTER	PLURAL	
mein	*meine*	*mein*	*meine*	my
dein	*deine*	*dein*	*deine*	your
sein	*seine*	*sein*	*seine*	his, its
ihr	*ihre*	*ihr*	*ihre*	her, its
unser	*uns(e)re*[1]	*unser*	*uns(e)re*[1]	our
euer	*eu(e)re*[1]	*euer*	*eu(e)re*[1]	your
ihr	*ihre*	*ihr*	*ihre*	their
Ihr	*Ihre*	*Ihr*	*Ihre*	your (polite form)

These are declined like *ein* in the singular (see section **8**), and like *diese* in the plural (see section **26**).

[1] The *e* is often omitted in the spoken language.

25. POSSESSIVE PRONOUNS

The feminine and plural forms are identical with the above. The masculine adds *–er* (*meiner, deiner,* etc.) and the neuter *–es* (*mein(e)s,*[1] *dein(e)s,*[1] *sein(e)s,*[1] etc.

The alternative forms *der* (*die, das*) *meine* or *der* (*die, das*) *meinige* are hardly used in modern colloquial German.

[1] The *e* is omitted in the spoken language.

DEMONSTRATIVES

26. *Dieser, diese, dieses* are used for both " this " and " that." *Jener, jene, jenes* are used when a contrast is being pointed out, e.g.

Dieser Wagen hier gefällt mir nicht.
Jener dort ist viel schöner.

DECLENSION

	MASC.	FEM.	NEUTER	PLURAL
Nom.	dieser	diese	dieses	diese
Acc.	diesen	diese	dieses	diese
Gen.	dieses	dieser	dieses	dieser
Dat.	diesem	dieser	diesem	diesen

Similarly: *jener, jene, jenes* (that) ; *jene* (those)
jeder, jede, jedes (each) ; *alle* (all)

27. They can be used also without nouns, e.g.

Nehmen Sie diesen Wein oder jenen?
Do you take this or that wine ?
Ich ziehe diesen vor. I prefer this one.

28. In the colloquial language *der, die, das* are often used instead of both *dieser, –e, –es* and *jener, –e, –es*, e.g.

Nimmst du diesen Stuhl? Nein, den am Fenster.
Do you take this chair ? No, the one by the window.

Der, die, das are also used as antecedents of relative pronouns, e.g.

Der, den Sie im Fenster haben, gefällt mir besser.
I prefer the one you have in the window.

Die, die wir letzte Woche hatten, war besser.
The one we had last week was better.

29. *Derjenige, diejenige, dasjenige* are alternatives to *der, die, das*. They are declined like the definite article and take the endings of adjectives used in connection with it, e.g.

Diejenigen (or *die*), *die das sagen, sind Lügner.*
Those who say that are liars.

30. *Dieser, –e, –es* and *jener, –e, –es* can only be used with nouns, or when replacing nouns ; in other cases use *dies* for both " this " and " these," and *das* for " that " and " those," e.g.

Dies ist mein Bruder.	This is my brother.
Das weiß ich nicht.	I don't know that.
Dies sind meine Geschwister.	These are my brothers and sisters
Das sind nicht deine Schuhe.	Those are not your shoes.

31. Pronouns

	MASC.	FEM.	NEUTER	PLURAL
Nom. *wer*,[1] *was*[2]	*welcher*	*welche*	*welches*	*welche*
Acc. *wen, was*	*welcher*	*welche*	*welches*	*welcher*
Dat. *wem, womit, woraus*, etc.	*welchem*	*welcher*	*welchem*	*welchen*
Gen. *wessen*	*welches*	*welcher*	*welches*	*welcher*

Was cannot be used after prepositions. Combinations of *wo* (*wor* before vowels) with prepositions are used instead, e.g.

wofür	for what	*worauf*	on what
womit	with what	*worunter*	under what

Note also *weswegen*, " for what reason."

[1] referring to persons.   [2] referring to things.

32. *Welcher, welche, welches*, "which, what," can be used both with and without nouns, e.g.

| *Welcher Kuchen* | *schmeckt besser?* | Which cake | tastes better ? |
| *Welcher* | | Which one | |

| *Welche Blumen* | *ziehen Sie vor?* | Which flowers | do you prefer ? |
| *Welche* | | Which (ones) | |

| *Mit welcher Feder* | *schreiben Sie* | With which pen | do you write |
| *Mit welcher* | *besser?* | With which one | better ? |

Was für ein(e), " what kind of," follows the normal declension of the indefinite article (see section **8**), e.g.

Was für einen Bleistift	*ziehen Sie*	What kind of pencil (pen) do
Was für eine Feder	*vor?*	you prefer ?
Was für Bäume sind dies?		What kind of trees are these ?
Was für Holz ist dies?		What kind of wood is this ?

The corresponding pronoun is *was für einer, was für eine, was für eine, was für eins*. The plural is *was für* or *was für welche*.

Note also the use of both *welch ein(e)* and *was für ein(e)* in exclamations, e.g.

Welch	*schöner Sonnenuntergang!*	What a beautiful sunset !
Welch ein		
Was für ein		

Welch	schöne Überraschung!	What a nice surprise!
Welch eine		
Was für eine		
Welch	hübsches Kleid!	What a pretty frock!
Welch ein		
Was für ein		

PRONOUNS

33. PERSONAL

SINGULAR

	I	you	he	she	it
Nom.	*ich*	*du*	*er*	*sie*	*es*
Acc.	*mich*	*dich*	*ihn*	*sie*	*es*
Dat.	*mir*	*dir*	*ihm*	*ihr*	*ihm*
Gen.	*meiner*	*deiner*	*seiner*	*ihrer*	*seiner*

PLURAL

	we	you	they[1]
Nom.	*wir*	*ihr*	*sie*
Acc.	*uns*	*euch*	*sie*
Dat.	*uns*	*euch*	*ihnen*
Gen.	*unserer*	*eurer*	*ihrer*

The Genitive is rarely used. It occurs only in connection with the few verbs governing the Genitive case (see section **70**).

After prepositions, the Dative and Accusative pronouns (when referring to things) are usually replaced by *da* (*dar* before a vowel) and combined with the preposition.

darin	in it	*damit*	with it
darauf	on it	*davon*	of it
darüber	above it	*darunter*	under it
dafür	for it	*dazu*	in addition (to it)
dabei	close to it	*dagegen*	against it
dadurch	through it	*darum*	around it
davor	in front of it	*daran*	at (to) it
danach	after it	*dazwischen*	between it (or them)
daneben	next to it (or them)	*dahinter*	behind it (or them)

[1] Also (with initial capital letter) the polite form for "you" in both singular and plural.

Other prepositions (such as *ohne, seit, außer,* etc.) cannot form such combinations. Note also *deswegen,* " on account of it."

In addition to their literal meanings, some of these compounds have acquired other meanings, e.g.

darauf	thereupon	*darum*	therefore
dabei	in doing so	*dafür*	in return
danach	afterwards		

Note also the following uses of *es*:

Es ist jemand an der Tür.	There is someone at the door.
Es sind keine Streichhölzer da.	There are no matches.
Es ist ein Freund von mir.	It is a friend of mine.
Es sind Freunde von uns.	They are friends of ours.

Ich bin es.	It is I.	*Sind Sie es?*	Is it you ?
Er ist es.	It is he.	*Sie ist es.*	It is she.
Sie sind es.	It is they.	*Es ist niemand da.*	Nobody is in.

See also impersonal verbs, section **65.**

34. REFLEXIVE

	myself	yourself	himself, herself, itself, themselves
Acc.	*mich*	*dich*	*sich*
Dat.	*mir*	*dir*	*sich*

	ourselves	yourselves	yourself, yourselves (polite form)
Acc. and Dat.	*uns*	*euch*	*sich*

The reflexive pronouns are used only in connection with certain verbs (see reflexive verbs, section **66**).

They are also used in the sense of " each other," e.g.

Sie grüßen sich nicht.   They do not greet each other.
Wir treffen uns an der Haltestelle.   We meet at the stopping place.

To avoid ambiguity (e.g. *sie helfen sich* could mean either " they help themselves " or " they help each other ") the latter meaning could be made clear by the use of *einander* instead of the reflexive pronoun.

For the translation of " myself, yourself," etc., when not used with reflexive verbs, see section **98.**

35. RELATIVE

	MASC.	FEM.	NEUTER	PLURAL
Nom.	*der*	*die*	*das*	*die*
Acc.	*den*	*die*	*das*	*die*
Gen.	*dessen*	*deren*	*dessen*	*deren*
Dat.	*dem*	*der*	*dem*	*denen*

The alternative forms *welcher, welche, welches* are less frequent as relative pronouns. They are, however, used as interrogative adjectives (see section **31**).

After prepositions and when referring to things, relative pronouns may be replaced by the combinations with *wo* which are also used as interrogative pronouns (see section **31**).

Das Messer, | *mit dem* | *Sie schneiden . . .*   The knife you are
           | *womit* | cutting with . . .

Like English " what," " who " and " where," *was, wer* and *wo* may be used as relative pronouns.

Ich werde tun, was ich kann.   I shall do what I can.
Wer das sagt, ist ein Lügner.   He who says that is a liar.
Überall, wo ich war, konnte ich mich verständigen.

Everywhere where I was I could make myself understood.

The relative pronoun cannot be omitted as is frequently done in English.

Der Mann, der dort geht . . .   The man going there . . .
Das Beste, was Sie tun können . . .   The best you can do . . .

Note that the relative clause is a subordinate clause in which the verb is at the end (see section **80**).

PREPOSITIONS

36. Most German prepositions are not exact counterparts of English prepositions and their correct use can be learned only by studying numerous examples. Some will be found on the following pages. The student should add to these by collecting additional examples from his reading.

Prepositions are used in connection with either the Dative or the Accusative case. A few require the Genitive case.

BIS[1]

bis nächsten Dienstag	until next Tuesday
drei bis vier Tage	three to four days
bis München	as far as Munich

DURCH

durch den Garten	through the garden
durch Zufall	by chance
durch Luftpost	via airmail

ENTLANG[2]

Wir gingen den Fluß entlang.	We went along the river.

FÜR

ein Geschenk für den Lehrer	a present for the teacher
Für den Preis ist es billig.	At that price it is cheap.
ein Mädchen für alles	a maid for all work ; a general maid
Tag für Tag	day by day
Schritt für Schritt	step by step
Das hat viel für sich.	That has much in its favour ; there is something in that.
Ich halte den Wein für gut.	I think it is a good wine.

GEGEN

Was haben Sie gegen ihn?	What have you against him ?
Ich bin dagegen.	I am against it.
Die Sonne steht gegen Süden.	The sun is to the south.
Sie ist gegen zwanzig Jahre alt.	She is about twenty years old.
gegen Bezahlung von zehn Mark	on payment of ten marks
gegen Abend (acht Uhr)	towards evening (eight o'clock)

OHNE

ohne jede Schwierigkeit	without any difficulty
ohne jeden Zweifel	without any doubt
ohne Bedeutung	of no consequence

---

[1] Note that *bis* does not take an article, but it is frequently combined with other prepositions and then can be followed by an article, e.g. *bis zur nächsten Stadt*, as far as the next town ; *bis an das Fenster*, up to the window.

[2] placed after the object.

UM

Um diese Ecke muß er kommen.	He must come around this corner.
Sie ist immer um ihn.	She is always about him.
jemand um den Hals fallen	to fall on a person's neck
Um Gotteswillen!	For heaven's sake !
um sieben Uhr	at seven o'clock
Sie gingen um das Haus herum.	They walked round the house.

Um is followed by *herum* when it means " right round."

38.   PREPOSITIONS WITH THE DATIVE

AUS

aus dem Fenster schauen	to look out of the window
aus einer Tasse trinken	to drink out of a cup
Sie ist aus Hamburg.	She comes from Hamburg.
Die Uhr ist aus Gold.	The watch is made of gold.
aus dem Deutschen übersetzt	translated from the German
Wasser besteht aus Wasserstoff und Sauerstoff.	Water consists of hydrogen and oxygen.
aus einer Entfernung von 50 Metern	at a distance of 50 metres

AUSSER

Außer uns war niemand da.	Besides us no one was there.
Außer diesem Koffer habe ich kein Gepäck.	Except for this trunk I have no luggage.

BEI

bei dem (beim) Bäcker	at the baker's
bei meiner Tante	at my aunt's
Potsdam ist bei Berlin.	Potsdam is near Berlin.
Bleib bei mir.	Stay with me.
Ich habe kein Geld bei mir.	I have no money with me.
die Schlacht bei Hastings	the battle of Hastings
bei Tag und bei Nacht	day and night
bei seiner Abreise	on his departure
Bei wem lernen Sie Deutsch?	With whom do you study German ?
Bei diesem Lehrer lernt man viel.	From this teacher you learn a lot.

ENTGEGEN

Er kam mir entgegen.   He came towards me.

This preposition follows the object.

GEGENÜBER

gegenüber der Kirche or   opposite the church
der Kirche gegenüber

MIT

mit seinen Kindern	with his children
mit der Eisenbahn	by train
mit dem Schiff	by boat
mit dem Flugzeug	by air
mit einem Wort	in a word
mit Recht	rightly so
mit einem Male	all of a sudden
eine Tüte mit Bonbons	a bag full of sweets

NACH

Wir fahren nach der Schweiz.	We are going to Switzerland.
Sie gehen nach Hause.	They are going home.
fünf Minuten nach vier	five minutes past four
nach dem Frühstück	after breakfast
Es riecht nach Gas.	There is a smell of gas.

SEIT

Seit wann lernen Sie Deutsch?	How long have you been learning German ?
seit einem Monat	for a month
seit drei Monaten	for three months
seit einem halben Jahr	for half a year
seit einiger Zeit	for some time

VON

Der Zug kommt von Köln.	The train comes from Cologne.
der Kaiser von Japan	the Emperor of Japan
ein Freund von mir	a friend of mine
Das Gedicht ist von Schiller.	The poem is by Schiller.
von heute an	from to-day on
Er spricht oft von Ihnen.	He often talks about you.
Von allen Weinen trinke ich Rheinwein am liebsten.	Of all wines I like hock best.

ZU

zu unserem Onkel	to our uncle's
zu Hause	at home
zu Besuch	on a visit
zu Fuß	on foot
zu Pferde	on horseback
zu Ostern	at Easter
zu Weihnachten	at Christmas
zu dieser Zeit	at that time
gerade zur Zeit kommen	to be just in time
zum ersten Mal	for the first time
zum letzten Mal	for the last time
zum Teil	partly
zum Beispiel	for example
zum Schluß	in the end

39. PREPOSITIONS WITH THE GENITIVE

ANSTATT *des Kompotts gab es Eis.*	Instead of stewed fruit there was ice-cream.
AUSSERHALB *der Stadt*	outside the town
DIESSEITS *des Flußes*	on this side of the river
INFOLGE *der Wahlen*	as a consequence of the elections
INNERHALB *einer Woche*	within a week
JENSEITS *der Grenze*	on the other side of the frontier
TROTZ *des schlechten Wetters*	in spite of the bad weather
WÄHREND *des Konzerts*	during the concert
WEGEN *ihrer Kopfschmerzen*	on account of her headache

40. PREPOSITIONS WITH THE DATIVE OR ACCUSATIVE[1]

Accusative (*Wohin?*)	Dative (*Wo?*)
AN	
Ich gehe an das Fenster.	*Ich stehe an dem Fenster.*
Ich hänge das Bild an die Wand.	*Das Bild hängt an der Wand.*
Ich schreibe an meinen Vater.	*Am Morgen. Am Abend.*

[1] These require the Dative when they indicate position (in answer to the question *wo?*), the Accusative when they indicate motion towards something or someone (in answer to the question *wohin?*).

AUF

Auf den Tisch stellen.   Auf dem Tisch stehen.
Aufs Land fahren.   Auf dem Lande leben.
Auf die Straße gehen.   Auf der Straße spielen.
Auf Deutsch, in German   Er ist auf einem Auge blind.
Auf einmal, all at once   Auf dem Wege zur Stadt.
Auf immer, for ever   Ein Schiff auf hoher See (at sea).

HINTER

Setz dich hinter mich.   Du sitzt hinter mir.
  Sit down behind me.   You are sitting behind me.

IN

ins Zimmer kommen   im Zimmer sein
in die Schule gehen   in der Schule sein
Er hat sich in den Finger ge-   im Gegenteil, on the contrary
  schnitten. He cut his finger.   im Ausland, abroad

NEBEN

Er legt das Messer neben die   Das Messer liegt neben der Gabel.
  Gabel.
Setzen Sie sich neben mich.   Sie sitzen neben mir.

ÜBER

Das Flugzeug fliegt über die   Nun ist es über der Kirche.
Stadt.

UNTER

Er stellt die Hausschuhe unter   Sie stehen unter dem Bett.
das Bett.

VOR

Sie legt den Vorleger (mat) vor   Er liegt vor der Tür.
die Tür.   vor einer Woche, a week ago
                 vor dem Essen, before the meal

ZWISCHEN

Er setzt sich zwischen zwei   Er ′sitzt zwischen zwei hübschen
hübsche Damen.   Damen.

41. The following contractions are used:

beim (bei dem)	zum (zu dem)	ans (an das)
im (in dem)	zur (zu der)	fürs (für das)
am (an dem)	ins (in das)	durchs (durch das)
vom (von dem)	aufs (auf das)	hinters (hinter das)

42. A number of verbs are linked with their object through a preposition. Some examples have been given in the preceding pages. Further examples will be found in section **71**.

CONJUNCTIONS

43. The following conjunctions are used to connect sentences or clauses. They do not affect the order of words.

und, and	*aber*, but (however)
oder, or	*sowohl . . . als auch*, both . . . and
denn, for	*sondern*, but (on the contrary)

The following require inversion if they start the sentence:

entweder . . . oder	either . . . or
weder . . . noch	neither . . . nor

Entweder fahren wir nach Deutschland oder nach Österreich.
or *Wir fahren entweder nach Deutschland oder nach Österreich.*

Weder hat er geschrieben, noch hat er telephoniert.
or *Er hat weder geschrieben noch telephoniert.*

44. Other conjunctions introduce subordinate clauses, in which the verb is at the end (see section **80**).

The most frequent ones are:

als	when, as	*während*	while
bevor ⎫	before	*zumal*	especially as
ehe ⎭		*da*	as
obgleich ⎫	although	*damit*	so that
obwohl ⎭		*daß*	that
wenn	when, whenever, if	*nachdem*	after
bis	till, until	*seit* ⎫	since
falls	in case	*seitdem* ⎭	
ob	if, whether	*so lange*	as long as
sooft	whenever	*weil*	because
sobald	as soon as		

45. *Als* refers to one particular occasion in the past, whereas *wenn* means either " whenever " or " if " and can be used with any tense of the verb. *Wann* means " when " in the sense of " at what time ? "

Als er ihn dort sah, erschrak er.
When he saw him there, he was startled.
Wenn er kam, brachte er Blumen.
When(ever) he came, he brought flowers.
Wenn es nicht regnet, werden wir spazieren gehen.
If it does not rain, we shall go for a walk.

For the difference between *wenn* and *ob* see section **103**.

46. Whereas in English the same word may be used as a conjunction (before he came), a preposition (before the war), or an adverb (I have seen him before), different words may be used in German.

CONJUNCTION	ADVERB	PREPOSITION	
bevor	*vorher*	*vor*	before
nachdem	*nachher*	*nach*	after
seit, seitdem	*seitdem*	*seit*	since

In some cases the same word is used in German but different words in English.

trotzdem, despite the fact that	*trotzdem*, nevertheless	*trotz*,	in spite of
während, while	*währenddessen*, meanwhile	*während*,	during

NUMERALS

47. CARDINALS

0 null, 1 eins, 2 zwei, 3 drei, 4 vier, 5 fünf, 6 sechs, 7 sieben, 8 acht, 9 neun, 10 zehn, 11 elf, 12 zwölf, 13 dreizehn, 14 vierzehn, 15 fünfzehn, 16 sechzehn, 17 siebzehn, 18 achtzehn, 19 neunzehn, 20 zwanzig, 21 einundzwanzig, 22 zweiundzwanzig, 23 dreiundzwanzig, 30 dreißig, 40 vierzig, 50 fünfzig, 60 sechzig, 70 siebzig, 80 achtzig, 90 neunzig, 100 hundert, 101 hunderteins, 200 zwei hundert, 1,000 tausend, 10,000 zehntausend, 1959 neunzehnhundertneunundfünfzig *or* tausendneunhundertneunundfünfzig.

Eins is not used in front of a noun. The indefinite article is used instead and is declined :
    mit nur einem Koffer with only one suitcase
As pronouns *einer (einen), eine* and *eins* are used :
    Haben Sie einen Bleistift? Da ist einer—Ich habe einen.

The other cardinals remain uninflected, except that a few take endings in expressions like :

> *Hunderte und Tausende.* Hundreds and thousands.
> *Er kroch auf allen vieren.* He crept on all fours.
> *Die Mutter zweier reizender Kinder.*
> The mother of two charming children.

Note the use of *beide* :

> *Meine beiden Kinder.* Both my children ; my two children.
> *Wir beide.* Both of us.
> *Keiner von beiden.* Neither (of the two).
> *Welcher von beiden?* Which of the two ?
> *Ich habe beide gern.* I like them both.

48. ORDINALS

These are formed by adding *–te* to the cardinals up to 19 : *der neunzehnte*, and *–ste* from 20 on : *der zwanzigste*.

Special forms are used for 1st (*der erste*) and 3rd (*der dritte*).

Ordinal numbers are adjectives and take the usual adjectival endings.

> *Am achtundzwanzigsten Juni.* On the 28th of June.
> *Die Regierungszeit Wilhelms des Ersten.*
> The reign of Wilhelm I.

49. FRACTIONS

½ *ein halb*, ⅓ *ein Drittel*, ¼ *ein Viertel*, ⅕ *ein Fünftel*, etc., adding *–el* to the ordinal number. ¾ *drei Viertel*, ⅝ *fünf Achtel*.

The fractions are nouns, except " half " which is an adjective and takes the usual adjective endings : *eine halbe Stunde*, half an hour. " The half " is *die Hälfte*. 1½ *anderthalb* or *eineinhalb*. 2½ *zweieinhalb*.

50. DECIMALS

These are indicated by a comma. Large numbers are printed with a space where English uses a comma.

> 1 000 000 *eine Million*

51.   ONCE, TWICE, ETC.

einmal, zweimal, dreimal, etc. *das erste Mal,* the first time.

52.   SINGLE, DOUBLE, THREEFOLD, ETC.

einfach, doppelt, dreifach, vierfach, etc.

53.   FIRSTLY, SECONDLY, THIRDLY, ETC.

erstens, zweitens, drittens, viertens, etc.

THE VERB

54.   TENSES

(a) THE PRESENT: *ich lese* (I read, I am reading, I do read).

The Present is often used—as in English but to a greater extent—with future meaning, e.g.

Diesen Sommer fahren wir an die See.

This summer we shall go to the seaside.

Er kommt Dienstag zurück.

He will be back on Tuesday.

The Present is also used to express what has begun in the past and is still continuing, e.g.

Ich lebe schon zehn Jahre in England.

I have been living in England for ten years.

Er wartet seit zwei Uhr auf Sie.

He has been waiting for you since two o'clock.

(b) THE IMPERFECT: *ich nahm* (I took, I was taking, I did take, I used to take).

Whereas in the literary language the Imperfect is the tense of narration, its use in the spoken language is confined to

(1) description: *Es war schrecklich kalt dort.* It was awfully cold there.

(2) habitual action: *Jeden Tag ging ich schwimmen.* Every day I went swimming.

(3) saying what was going on when something else happened: *Ich schrieb gerade einen Brief, als das Telephon klingelte.* I was just writing a letter when the telephone rang.

(c) THE PERFECT:
   ich habe genommen (I have taken, I have been taking, I took).
   ich bin gegangen (I have gone, I have been going, I went).

   The Perfect expresses not only what has happened (or has been happening) but also—especially in conversation—what happened at a particular moment in the past.

(d) THE PLUPERFECT:
   ich hatte genommen (I had taken, I had been taking).
   ich war gegangen (I had gone, I had been going).

(e) THE FUTURE:
   ich werde nehmen (I shall take, I shall be taking, I am going to take).
   er wird später kommen (he will come later).

   Distinguish between *er will kommen*, he wants to come (the Present tense of *wollen*), and *er wird kommen* (the Future).

   The Future is sometimes used to express probability, e.g.
   Er wird verhindert sein zu kommen.
   He is probably prevented from coming.

(f) THE FUTURE PERFECT:
   ich werde genommen haben (I shall have taken).
   er wird angekommen sein (he will have arrived).

(g) THE CONDITIONAL:
   ich würde es gern tun (I should[1] like to do it).
   er würde kommen (he would come).

   The Conditional is frequently replaced by the Imperfect of the Subjunctive (see section **76**).

(h) THE PAST CONDITIONAL:
   ich würde es genommen haben (I should have taken it).
   sie würde hingegangen sein (she would have gone there).

   Instead of the Past Conditional, the Pluperfect Subjunctive may be used, e.g. *ich hätte es genommen; sie wäre hingegangen.*

(i) THE IMPERATIVE: There are three forms of the Imperative corresponding to the three forms of the second person, of the Present tense.

---

[1] Do not confuse the Conditional " should " with " should " in the sense of " ought to," e.g. " You shouldn't do that ", *Sie sollten das nicht tun.*

2nd person, Present tense	Corresponding Imperative
du kommst	*komm!*
ihr kommt	*kommt!*
Sie kommen	*kommen Sie!*

" Let us go " is expressed either by *gehen wir!* or by *laß (laßt, lassen Sie) uns gehen!*

In notices and commands the Infinitive may be used for the Imperative, e.g. *Rechts fahren!* Keep to the right !   *Nicht berühren!* Don't touch !

55.   CONJUGATIONS
(a) Weak Verbs
(Imperfect ending in *–te*, Past Participle in *–t*)
Example: *lieben* (to love)

PRESENT:	*ich liebe*	*wir lieben*
	du liebst[1]	*ihr liebt*[1]
	er (sie, es) liebt	*sie lieben*
IMPERFECT:	*ich liebte*	*wir liebten*
	du liebtest[1]	*ihr liebtet*[1]
	er (sie, es) liebte	*sie liebten*
PERFECT:	*ich habe geliebt*	*wir haben geliebt*
	du hast geliebt[1]	*ihr habt geliebt*[1]
	er (sie, es) hat geliebt	*sie haben geliebt*
FUTURE:	*ich werde lieben*	*wir werden lieben*
	du wirst lieben[1]	*ihr werdet lieben*[1]
	er (sie, es) wird lieben	*sie werden lieben*
IMPERATIVE:	*liebe . . . ! liebt . . . ! lieben Sie . . . !*	

Note.—The Past Participle usually takes the prefix *ge–*. Verbs ending in *–ieren* (which are of foreign origin), as well as verbs with inseparable prefixes (see section **60**), do not take the prefix *ge–* (e.g. *studieren, ich habe studiert ; besuchen, ich habe besucht*).

[1] The polite form of the second person is the same as the third person plural, the only difference being that *Sie* is spelt with a capital *S*.

(b) Strong Verbs
(changing their stem vowel)

Examples: *geben* (to give) ; *tragen* (to carry) ; *gehen* (to go) ;
kommen (to come)

PRESENT:	ich		wir	
		gebe		*geben*
		trage		*tragen*
		gehe		*gehen*
		komme		*kommen*
	du	*gibst*	ihr	*gebt*
		trägst		*tragt*
		gehst		*geht*
		kommst		*kommt*
	er	*gibt*	sie	*geben*
	sie	*trägt*		*tragen*
	es	*geht*		*gehen*
		kommt		*kommen*

IMPERFECT:	ich	*gab*	wir	*gaben*
	er	*trug*	sie	*trugen*
	sie	*ging*	Sie	*gingen*
	es	*kam*		*kamen*
	du	*gabst*	ihr	*gabt*
		trugst		*trugt*
		gingst		*gingt*
		kamst		*kamt*

PERFECT:	ich habe	*gegeben*	ich bin	*gegangen*
	du hast	*getragen*	du bist	*gekommen*
	er hat		er ist	
	wir haben		wir sind	
	ihr habt		ihr seid	
	sie haben		sie sind	

FUTURE:	ich werde	*geben*
	du wirst	*tragen*
	er wird	*kommen*
	wir werden	*gehen*
	ihr werdet	
	sie werden	

IMPERATIVE: *gib!* *trag!* *geh!* *komm!*
gebt! *tragt!* *geht!* *kommt!*
geben Sie! *tragen Sie!* *gehen Sie!* *kommen Sie!*

NOTES

1. When the stem vowel is *a*, *au* or *e* it is sometimes changed in the second and third person singular of the Present tense: *a* changes to *ä*; *au* to *äu*; *e* to *i* or *ie*; e.g.

schlafen (to sleep): *ich schlafe, du schläfst, er schläft*
laufen (to run): *ich laufe, du läufst, er läuft*
lesen (to read): *ich lese, du liest, er liest*
nehmen (to take): *ich nehme, du nimmst, er nimmt*

IMPERATIVE: *schlaf!* *lauf!* *nimm!* *lies!*
schlaft! *lauft!* *nehmt!* *lest!*
schlafen Sie! laufen Sie! nehmen Sie! lesen Sie!

2. Most verbs form the Perfect and the Pluperfect with *haben*. Those expressing change of place or condition take *sein*, e.g. *ich bin (war) gekommen, gefahren, gelaufen; er ist gestorben.*

Sein is also used with the following: *gewesen, geblieben, (ge)worden* (see section **58**), and also in the impersonal expression *es ist (war) gelungen*, it has (had) succeeded.

(c) Mixed Verbs

The following verbs are strong in so far as they change their stem vowel, but are like weak verbs in their Past Participle and Imperfect. Only their principal parts are given here, as their conjugation is the same as that of regular weak verbs.

bringen, brachte, gebracht (to bring)
brennen, brannte, gebrannt (to burn)
denken, dachte, gedacht (to think)
kennen, kannte, gekannt (to know)
nennen, nannte, genannt (to name)
senden, sandte, gesandt (to send)
wenden, wandte (wendete), gewandt (to turn)
wissen, wußte, gewußt (to know)

The verb *wissen* (like the auxiliaries of mood) has no endings in the first and third person singular of the Present tense: *ich weiß, du weißt, er weiß, wir wissen, ihr wißt, sie wissen.*

56. <center>HABEN (to have)</center>

PRESENT:
ich habe   *wir haben*
du hast   *ihr habt*
er (sie, es) hat   *sie haben*

IMPERFECT:
ich hatte   *wir hatten*
du hattest   *ihr hattet*
er (sie, es) hatte   *sie hatten*

PERFECT:
ich habe gehabt   *wir haben gehabt*
du hast gehabt   *ihr habt gehabt*
er (sie, es) hat gehabt   *sie haben gehabt*

FUTURE:
ich werde haben   *wir werden haben*
du wirst haben   *ihr werdet haben*
er (sie, es) wird haben   *sie werden haben*

IMPERATIVE: *habe...! habt...! haben Sie...!*

57. <center>SEIN (to be)</center>

PRESENT:
ich bin   *wir sind*
du bist   *ihr seid*
er (sie, es) ist   *sie sind*

IMPERFECT:
ich war   *wir waren*
du warst   *ihr wart*
er (sie, es) war   *sie waren*

PERFECT:
ich bin gewesen   *wir sind gewesen*
du bist gewesen   *ihr seid gewesen*
er (sie, es) ist gewesen   *sie sind gewesen*

FUTURE:
ich werde sein   *wir werden sein*
du wirst sein   *ihr werdet sein*
er (sie, es) wird sein   *sie werden sein*

IMPERATIVE: *Sei...! Seid...! seien Sie...!*

58. <center>WERDEN</center>

In addition to being an auxiliary verb used in the formation of both the Future tense and the Passive voice, *werden* is a full verb with the meaning " to become, to get, to grow."

117

PRESENT:	*ich werde*	*wir werden*
	du wirst	*ihr werdet*
	er (sie, es) wird	*sie werden*
IMPERFECT:	*ich wurde*	*wir wurden*
	du wurdest	*ihr wurdet*
	er (sie, es) wurde	*sie wurden*
PERFECT:	*ich bin (ge)worden*[1]	*wir sind (ge)worden*[1]
	du bist (ge)worden	*ihr seid (ge)worden*
	er (sie, es) ist (ge)worden	*sie sind (ge)worden*
FUTURE:	*ich werde werden*	*wir werden werden*
	du wirst werden	*ihr werdet werden*
	er (sie, es) wird werden	*sie werden werden*

IMPERATIVE: *werde . . . !   werdet . . . !   werden Sie . . . !*

[1] *Worden* is the past participle of the auxiliary, *geworden* is that of the verb.

59.   AUXILIARIES OF MOOD

Whereas " can, will, must, may, shall " are incomplete verbs in English (i.e. they have neither Infinitive nor Past Participle), the following are complete verbs in German:

	können (be able, can)	*wollen* (be willing, wish)	*müssen* (have to, must)	*dürfen* (be allowed, may)	*sollen* (am to, ought to)	*mögen*[1] (may, like)
PRESENT						
ich	*kann*	*will*	*muß*	*darf*	*soll*	*mag*
du	*kannst*	*willst*	*mußt*	*darfst*	*sollst*	*magst*
er	*kann*	*will*	*muß*	*darf*	*soll*	*mag*
wir	*können*	*wollen*	*müssen*	*dürfen*	*sollen*	*mögen*
ihr	*könnt*	*wollt*	*müßt*	*dürft*	*sollt*	*mögt*
sie	*können*	*wollen*	*müssen*	*dürfen*	*sollen*	*mögen*

[1] *Mögen* has two different meanings :
  (a) possibility, e.g. *das mag stimmen*, that may be all right.
  (b) liking, e.g. *sie mag ihn nicht*, she does not like him.
  Ich möchte, " I should like to," is the Imperfect of the Subjunctive used with the meaning of the Conditional (see section 76 (d)).

IMPERFECT

ich	konnte	wollte	mußte	durfte	sollte	mochte
du	konntest	wolltest	mußtest	durftest	solltest	mochtest
er	konnte	wollte	mußte	durfte	sollte	mochte
wir	konnten	wollten	mußten	durften	sollten	mochten
ihr	konntet	wolltet	mußtet	durftet	solltet	mochtet
sie	konnten	wollten	mußten	durften	sollten	mochten

The Past Participles are *gekonnt, gewollt, gemußt, gedurft, gesollt, gemocht*, but after an Infinitive alternative forms are used. These are identical with the Infinitive, e.g.

Ich habe es nicht gewollt.	I did not want it.
Ich habe nicht kommen wollen.	I did not want to come.
Er hätte kommen sollen.	He ought to have come.
Sie hätte es tun können.	She could have done it.

There are other meanings which do not correspond to the English equivalents given above. They can best be shown by examples, e.g.

> *Wollen wir heute abend ins Kino gehen?*
> Shall we go to the cinema to-night ?

> *Er soll sehr geizig sein.*
> He is said to be very mean.

> *Es könnte nachmittags regnen.*
> It might rain in the afternoon.

> *Sie müssen das nicht essen, wenn Sie nicht wollen.*
> You need not eat that, if you do not want to.

In the following examples the verbs " to get, to go, to come " are understood:

Wir werden hinaufkönnen.	We shall be able to go up.
Er wird herausmüssen.	He will have to come out.
Du kannst jetzt nicht hinein.	You can't get in now.

In addition to the six auxiliaries of mood, the verbs *sehen* (see), *hören* (hear), *helfen* (help), *lernen* (learn), *lehren* (teach), *lassen* (let), may be used without *zu* before an Infinitive. Their Past Participles are identical with their Infinitives, e.g.

> *Ich habe ihn kommen sehen.* I saw him coming.
> *Er hat sie singen hören.* He heard her singing.

Wollen Sie mir das Auto reparieren helfen?
Will you help me to repair the car ?

Er möchte gern Autofahren lernen.
He would like to learn to drive a car.

Sie haben mich nicht bezahlen lassen.
They did not let me pay.

60. Compound Verbs

INSEPARABLE VERBS

The following prefixes are never separated from the verb: *be-, ge-, ent-, emp-, er-, miß-, ver-, zer-, wider-*. They are always unstressed.

Inseparable verbs form their Past Participles without *ge-*, e.g.

besuchen, to visit ; *ich habe besucht*
vergessen, to forget ; *ich habe vergessen.*

SEPARABLE VERBS

When the prefix of a verb exists as a word (usually a preposition) in its own right, it is separated from the stem of the verb in the Present and Imperfect tenses, going to the end of the sentence, e.g. *fortgehen*, to go away:

Ich gehe jetzt fort.	I am going away now.
Ich ging gestern spät fort.	I went away late yesterday.
Ich werde morgen früher fortgehen.	I shall go away earlier to-morrow.
Er ist noch nicht fortgegangen.	He hasn't gone away yet.
Es ist Zeit fortzugehen.	It is time to go away.

Note that in the Past Participle of a separable verb the *ge-* of the Past Participle is placed between the prefix and the stem. The same applies to *zu-*. The separable prefixes are always stressed.

The prefix is also separated in the Imperative:

Geh jetzt fort !	Go away now.
Kommt nicht zu spät zurück!	Don't come back too late.
Schreiben Sie es auf!	Write it down.

In a subordinate clause, where the verb goes to the end, the prefix precedes the verb and is not separated from it, e.g.

Als wir zurückkamen, waren wir sehr müde.
When we came back, we were very tired.

Some prefixes, such as *um–*, *durch–*, *hinter–*, *unter–*, *über–*, *wieder–*, may be either separable or inseparable. They are separable when used in their literal meaning and inseparable when used in a figurative sense, e.g.

wiederholen	to fetch again	*wiederholen*	to repeat
übersetzen	to ferry across	*übersetzen*	to translate
sich unterstellen	to take shelter	*unterstellen*	to impute

61.   THE PASSIVE

Use the auxiliary *werden* with the Past Participle.[1]

ich werde gerufen, du wirst gerufen, etc.	I am called, etc.
ich wurde gerufen, du wurdest gerufen, etc.	I was called, etc.
ich bin gerufen worden, etc.	I have been called, etc.
ich war gerufen worden, etc.	I had been called, etc.
ich werde gerufen werden, etc.	I shall be called, etc.
ich würde gerufen werden, etc.	I should be called, etc.
ich werde gerufen worden sein, etc.	I shall have been called, etc.
ich würde gerufen worden sein, etc.	I should have been called, etc.

NOTES

1. As *werden* has a different meaning from the English "to be" (see section **58** on page 117), the German passive does not exactly correspond in meaning to the English passive voice. *Die Briefe werden getippt* means "the letters are being typed" whereas *die Briefe sind getippt* can only mean "the letters are (or have been) typed". Similarly: *Der Wagen wird repariert.* The car is being repaired. *Der Wagen ist repariert.* The car is (or has been) repaired.

2. An English passive is often rendered by an active construction in German with *man* as its subject.

Man spricht hier deutsch.	German is spoken here.
Man rät mir.	I am advised.

[1] Only transitive verbs can be used in the passive.

Alternatively, an impersonal passive may be formed with *es* as the subject, e.g.

> *Es wird mir geraten.* I am advised.
> *Es wird dort deutsch gesprochen.* German is spoken there.
> *Es wurde dort nicht gestattet zu rauchen.*
> Smoking was not allowed there.

Es may be omitted by the use of the following construction :

Mir wird geraten. Deutsch wird dort gesprochen. Das Rauchen wurde dort nicht gestattet.

62. THE INFINITIVE

(1) *Irren ist menschlich.* To err is human.
(2) *Er lernt Lesen, Schreiben und Rechnen.* He is learning the the three R's.
(3) *Das Baden ist verboten.* Bathing is forbidden.
(4) *Er hörte mich singen.* He heard me singing.
(5) *Ich freue mich, es getan zu haben.* I am glad to have done it.
(6) *Er bedauert, hergekommen zu sein.* He regrets having come here.
(7) *Sie war nirgends zu sehen.* She was nowhere to be seen.
(8) *Er fürchtet, bestraft zu werden.* He fears to be punished.
(9) *Er kann nicht früher kommen.* He cannot come earlier.
(10) *Er fliegt, um schneller hinzukommen.* He is flying to get there quicker.

Every Infinitive can be used as a noun (examples 1–3). Such nouns are neuter. The Infinitive frequently corresponds to English verbal forms in *–ing* (examples 2–4). The Infinitive of the Perfect is formed with either *haben* (example 5) or *sein* (example 6). The Infinitive of the passive is formed with *werden* (example 8). The Infinitive of the active voice is sometimes the equivalent of a passive Infinitive in English (example 7). The Infinitive is preceded by *zu* when it is dependent on another verb (examples 5–8). *Zu* is omitted after *lernen, hören, sehen, fühlen, lassen, machen* and after the auxiliaries of mood (examples 2, 4, 9). " To " in the sense of " in order to " is *um . . . zu* (example 10).

1. After an *–r* or an *–l* the infinitive ending is *–n* instead of *–en* (e.g. *bedauern*, to regret ; *nageln*, to nail). Other infinitives ending in *–n* are *tun*, to do, and *sein*, to be.

2. *Ich hoffe, Sie werden bald von sich hören lassen.*
   I hope you will soon let us hear from you.

   Sie müssen sich die Wunde verbinden lassen.
   You must have your wound bandaged.

   Ist dies das Kleid, das Sie sich haben machen lassen?
   Is this the dress you had made ?

   Lassen is used to express "to have something done."

   What you have done is expressed by the Infinitive. Note that in subordinate clauses of this kind the auxiliary precedes the Infinitive.

63. THE PRESENT PARTICIPLE

die aufgehende Sonne, the rising sun
in strömendem Regen, in pouring rain

The Present Participle ends in *–end*. When used as an adjective it takes the usual endings of adjectives (see section 14).

64. THE PAST PARTICIPLE

geliebt,	loved	*studiert,*	studied
besucht,	visited	*geschrieben,*	written

The Past Participle of regular verbs is formed by putting *ge–* in front of the stem of the verb and *–t* after it. Verbs with inseparable prefixes (see section **60**) and those ending in *–ieren* omit the prefix *ge–*. Strong verbs add *–en* to the stem, which often changes its root vowel (see section **55 (b)**).

The Past Participle is used to form compound tenses of verbs (see section **55**).

It can also be used as an adjective. When it precedes a noun it takes the usual adjectival endings, e.g.

Diese Bücher sind verkauft. These books are sold.
Ein schön gelegener Ort. A beautifully situated place.

Es[1] *lohnt sich.* It is worth-while (lit. it rewards itself).
Es geht los. Off we go (lit. it goes off).
Es gelingt mir. I succeed (lit. it succeeds with me).
Es klopft. There is a knock at the door.
Es klingelt. Someone is ringing (the doorbell).
Es donnert und blitzt. There is thunder and lightning.
Es ist mir kalt (warm).[2] I am cold (hot).
Es geht mir gut (schlecht). I am well (unwell).
Es[1] *tut mir leid.* I am sorry.
Es[1] *freut mich.* I am glad.
Es bleibt mir nichts anderes übrig. I have no other choice.
Es gibt keine guten Plätze mehr. There are no more good seats.
Es wird ein Gewitter (Regen, einen Sturm) geben.
　　There will be a thunderstorm (rain, a storm).
Es zieht. There is a draught.

"There is, there are" is either *es ist, es sind,* or *es gibt* (followed by either singular or plural).

Es ist (es sind)[3] is more definite than *es gibt,*[4] which is used in the sense of "there exists, there is to be had", e.g.

　　Es gibt Flugzeuge, die schneller sind als der Schall.
　　There are aeroplanes which are faster than sound.

In the sense of "there is" and "there are", *es ist* and *es sind* are only used at the beginning of a sentence. If another word begins the sentence *es* is omitted, e.g.

Es sind Gläser im Schrank. There are glasses in the cupboard.
Sind Gläser im Schrank? Are there glasses in the cupboard?

In *es gibt* the *es* cannot be omitted, e.g.

Was gibt es im Kino? What is on at the cinema?
Wird es denselben Film nächste Woche geben?
　　Will the same film be shown next week?

Note that the object of *es gibt* is in the Accusative.

---

[1] or *das.*
[2] or *mir ist kalt (warm).*
[3] The same applies to other tenses :
　es war(en), es wird sein, es werden sein, es ist (sind) gewesen, etc.

[4] The same applies to *es gab, es wird geben, es hat gegeben,* etc.

66. REFLEXIVE VERBS

A verb where the same person is both the subject and the object of the action is called a "reflexive" verb. The object may be either in the Dative or the Accusative (see section **34**).

THE REFLEXIVE PRONOUN IS IN THE ACCUSATIVE :

Ich wasche mich. I wash.

Ich setze mich. I sit down.

Ich ziehe mich an. I get dressed.

Er zieht sich aus. He undresses.

Hast du dich verletzt?
Have you hurt yourself ?

Wollt ihr euch waschen?

Wollen Sie sich waschen?

Do you wish to wash ?

Setzen wir uns.
Let us sit down.

Ich habe mich in den Finger geschnitten.
I cut my finger.

THE REFLEXIVE PRONOUN IS IN THE DATIVE :

Ich wasche mir die Hände.
I wash my hands.

Ich setze mir den Hut auf.
I put on my hat.

Ich ziehe mir den Mantel an.
I put on my coat.

Er zieht sich die Schuhe aus.
He takes off his shoes.

Hast du dir den Arm verletzt?
Have you hurt your arm ?

Wollt ihr euch die Hände waschen?

Wollen Sie sich die Hände waschen?

Do you wish to wash your hands ?

Wir setzen uns Mützen auf.
We put on caps.

Ich will mir eine Scheibe Wurst abschneiden.
I'll cut myself a slice of sausage.

There are distinctive Accusative and Dative forms of reflexive pronouns for the 1st and 2nd persons only. For the 3rd person *sich* is used for both cases, singular and plural. *Euch*, the plural of the familiar form, is also the same in both cases (see section **34**).

A number of verbs are reflexive in German which are not so in English. Whereas in English it is sufficient to say "I wash" or "I dress" without adding "myself", it is necessary in German to add the reflexive pronoun. *Ich wasche* by itself means "I do some washing". If what is washed is mentioned, it becomes the direct object and the personal object is in the Dative case.

The following reflexive verbs take a Dative pronoun :

sich vorstellen	to imagine (in the sense of "to use one's imagination")
sich einbilden	to imagine (in the sense of "to fancy oneself")
sich kaufen	to buy oneself
sich schmeicheln	to flatter oneself
sich machen lassen	to have oneself made
sich schicken (reparieren, etc.) lassen	to have sent to (repaired for, etc.) oneself
sich aufsetzen	to put on (hat or cap)

Most reflexive verbs take an Accusative pronoun :

sich amüsieren	to enjoy oneself
sich ankleiden	to dress
sich anstrengen	to make an effort
sich aufregen	to get excited
sich auskleiden	to undress
sich ausruhen	to rest
sich bewegen	to move
sich drehen	to turn
sich entfernen	to move away
sich ereignen	to happen
sich aufhalten	to stay
sich befinden	to be (situated), to find oneself
sich benehmen	to behave
sich entschließen	to decide
sich erheben	to rise
sich erholen	to recover (health)
sich freuen	to be glad
sich nennen	to be called
sich niederlegen	to lie down
sich umziehen	to change
sich unterhalten	to converse
sich verirren *sich verlaufen*	to lose one's way
sich setzen	to sit down

| *sich verspäten* | to be late |
| *sich weigern* | to refuse |

Reflexive verbs with either Dative or Accusative pronouns:

sich waschen	to wash
sich anziehen	to dress, to put on
sich ausziehen	to undress, to take off
sich erkälten	to catch cold
sich fühlen	to feel
sich verletzen	to hurt oneself

If used with one object the pronoun is in the Accusative case. With two objects the personal object is in the Dative case, the other in the Accusative.

67. GOVERNMENT OF VERBS

(1) *Ich verstehe Sie.* I understand you.

(2) *Ich danke Ihnen.* I thank you.

(3) *Suchen Sie mich?* Are you looking for me?

(4) *Schauen Sie das an!* Look at that!

(5) *Was ist aus ihm geworden?* What has become of him?

(6) *Erinnern Sie mich an mein Versprechen.* Remind me of my promise.

(7) *Er zeigte ihm seine Arbeit.* He showed him his work.

(8) *Er brachte ihr Blumen.* He brought her flowers.

(9) *Er hat mir nicht auf diese Frage geantwortet.*
He did not give me an answer to this question.

(10) *Sie hat ihn einen Lügner genannt.* She called him a liar.

Examples 1 to 4 show that a direct object in English is not always a direct object in German, and vice versa. Some verbs requiring a direct object in English take an indirect object in German (example 2). A number of German verbs take a direct object while their English counterparts require a preposition (examples 3 and 4). When both German and English verbs require prepositions before their object, the preposition often differs (examples 5 and 6). Where a verb takes two objects, one a person, the other a thing, the person is usually in the Dative, the thing in the Accusative (examples 7 and 8). Frequently one of the objects is preceded by a preposition (examples 6 and 9). In a few cases both objects are in the Accusative case (example 10)·

68. Verbs requiring a Dative object:

danken	to thank	*passen*	to suit, to fit
dienen	to serve	*weh tun*	to hurt
folgen	to follow	*begegnen*	to meet
raten	to advise	*gehorchen*	to obey
leid tun	to be sorry	*sich nähern*	to approach
befehlen	to order	*zusehen*	to watch
gefallen	to please	*antworten*	to answer
geschehen	to happen	*helfen*	to help

69. Verbs requiring an Accusative object.

Whereas most verbs requiring the Dative case can govern a personal object only, most of those which can govern either a person or a thing have their object in the Accusative case. You can serve, thank, advise only a person, but you can see, hear, understand either somebody or something.

Some of the verbs taking the Dative case can be turned into verbs requiring the Accusative case by adding the inseparable prefix *be–*, as all verbs with that prefix require the Accusative case (except *begegnen*[1]).

"Advise me" could be either *raten Sie mir* or *beraten Sie mich*. "Follow my advice," *folgen Sie meinem Rat* or *befolgen Sie meinen Rat*.

Verbs requiring a preposition can be turned into transitive verbs by adding the prefix *be–*.

"To answer a question" is
> *eine Frage beantworten* or *auf eine Frage antworten*

"To climb a mountain" is
> *einen Berg besteigen* or *auf einen Berg steigen*

The prefix *be–* often indicates a different meaning.

sprechen über	to talk about	*etwas besprechen*	to discuss something
schreiben	to write	*beschreiben*	to describe
halten	to hold	*behalten*	to keep
sitzen	to sit	*besitzen*	to possess
suchen	to seek	*besuchen*	to visit

[1] *Begegnen* (+ Dative) is "to meet accidentally." *Treffen* (+ Accusative) is "to meet" either by accident or by appointment.

70. Verbs requiring the Genitive case:

anklagen	to accuse of	*sich enthalten*	to abstain from
sich entledigen	to get rid of	*sich erbarmen*	to take pity on

Formerly more verbs required the Genitive case, but the Genitive is becoming obsolete in modern German and alternative forms are coming into use, e.g. *sich erinnern an* + Acc. instead of *sich erinnern* + Gen., "to remember".

71. Verbs requiring a prepositional object.

These are far too numerous to list in full here, and will be found in every good dictionary. Here are some examples:

With the Accusative:

hoffen auf	to hope for
hören auf	to listen to
warten auf	to wait for
denken an	to think of
glauben an	to believe in
erinnern an	to remind
klagen über	to complain of
lachen über	to laugh at
reden über	to talk about
danken für	to thank for
halten für	to consider[1]
sich interessieren für	to be interested in
bitten um	to ask for

With the Dative:

hindern an	to prevent from
zweifeln an	to doubt
leiden an	to suffer from
sterben an	to die of
Angst haben vor } *sich fürchten vor* }	to be afraid of
sich entschuldigen bei	to apologise to

[1] e.g. *Für wie alt halten Sie ihn?* How old do you think he is?

fragen nach	to enquire about
leben von	to live on
sprechen von	to speak of
brauchen zu	to need for
einladen zu	to invite to

With the Genitive :

loben wegen	to praise for
tadeln wegen	to blame for
sich schämen wegen	to be ashamed of[1]

[1] also used without preposition.

72. Verbs requiring different constructions according to their meaning :

sich freuen auf + Acc.	to look forward to
sich freuen über + Acc.	to rejoice at
sprechen über + Acc.	to talk about
sprechen mit + Dat.	to talk to
gehören + Dat.	to belong to (a person)
gehören zu + Dat.	to belong to, to be part of (something)
schmecken + Acc.	to taste
schmecken + Dat.	to like (something tasted)
schmecken nach + Dat.	to taste of

Note also the following :

Ich freue mich darauf, ihn wiederzusehen.
I am looking forward to seeing him again.

Ich danke Ihnen dafür, daß Sie alles so schön vorbereitet haben.
I thank you for having prepared everything so nicely.

Ich erinnere mich nicht daran, es schon gehört zu haben.
I don't remember having heard it before.

73. (*a*) Verbs with two objects, one Dative, one Accusative :[1]

ich	*brachte*	*meinem Vater*	*einen Blumenstrauß*
er	*gab*	*meiner Mutter*	*eine Rose*
sie	*versprach*	*seinen Kindern*	*schöne Geschenke*

[1] The two objects are not always expressed. One may be understood, e.g. *Er schrieb mir*, he wrote to me. *Ich verspreche es*, I promise.

130

Other verbs allowing the same construction are, among others:

zahlen	to pay	*vorstellen*	to introduce
zeigen	to show	*verkaufen*	to sell
senden	to send	*wünschen*	to wish
kaufen	to buy	*empfehlen*	to recommend
erklären	to explain	*versprechen*	to promise
erlauben	to permit	*verzeihen*	to forgive

(b) Verbs with two objects, both in the Accusative :[1]

ehren, to teach   *kosten*, to cost   *nennen*, to call

> *Er nannte ihn einen Lügner.*
> He called him a liar.

> *Das wird sie ein Vermögen kosten.*
> That will cost them a fortune.

(c) Verbs with two objects, one of which requires a preposition :[1]

> *Er hat mir nicht auf meinen Brief geantwortet.*
> He did not·answer my letter.

> *Ich habe ihn an seine Verabredung erinnert.*
> I reminded him of his appointment.

> *Sie half mir bei meiner Arbeit.*
> She helped me with my work.

> *Ich danke Ihnen für die freundliche Auskunft.*
> I·thank you for your kind information.

74. Verbs used with the Nominative case :

> *Er will Soldat werden.*
> He wants to become a soldier.

> *Es scheint ein geeigneter Ort zu sein.*
> It seems to be a suitable place.

> *Er ist ein interessanter Mensch.*
> He is an interesting man.

Here the noun used in connection with *sein*, *werden* and *scheinen* is in the Nominative case.

---

[1] The two objects are not always expressed. One may be understood, e.g. *Er schrieb mir*, he wrote to me. *Ich verspreche es*, I promise.

Compare the following :

  Gestern war Sonntag. Yesterday was Sunday.

  Ich wünschte, es wäre Sonntag.
  I wish(ed) it was (were) Sunday.

  Er hatte eine Million und verspielte sie.
  He had a million and gambled it away.

  Wenn ich eine Million hätte . . . If I had a million . . .

Whereas *war* and *hatte* are forms of the Indicative mood (expressing a fact), *wäre* and *hätte* are in the Subjunctive mood (expressing an idea in the mind of the speaker).

76. The forms of the Subjunctive are as follows :

(*a*) PRESENT SUBJUNCTIVE

The endings are the same as for the Present Indicative with the exception of the 3rd person singular and the familiar form. The endings are added to the stem of the verb.

er habe	*du habest*	*ihr habet*
er sage	*du sagest*	*ihr saget*
er sehe	*du sehest*	*ihr sehet*
er schlafe	*du schlafest*	*ihr schlafet*

The Subjunctive of *sein* is entirely different from its Indicative :

ich sei	*wir seien*
du seiest	*ihr seiet*
er sei	*sie seien*

The auxiliaries of mood (except *sollen* and *wollen*) take the umlaut : *ich (er, sie, es) könne, dürfe, möge, müsse; du könnest,* etc.

(*b*) IMPERFECT SUBJUNCTIVE

  Ich hätte, du hättest, er hätte, etc.
  Ich wäre, du wärest, er wäre, etc.
  Ich spräche, du sprächest, er spräche, etc.
  Ich ginge, du gingest, er ginge, etc.
  Ich wohnte, du wohntest, er wohnte, etc.

1. The endings of the Present and Imperfect Subjunctives are the same for all verbs. The Imperfect Subjunctive of weak verbs is identical with the Imperfect Indicative. Strong verbs take the umlaut and add *–e* in the 1st and 3rd persons, singular.

2. As many forms of the Subjunctive are identical with the Indicative, the Imperfect Subjunctive may be used instead of the Present Subjunctive and vice versa :

> *Sie sagt, ich hätte gelogen.*
> She says I have lied.

> *Er sagte, er wohne dort schon lange.*
> He said he lived there for some time.

(c) FUTURE SUBJUNCTIVE
Formed by the Present Subjunctive of *werden* (*ich werde, du werdest, er werde,* etc.) in connection with the Infinitive.

(d) CONDITIONAL (or Imperfect of the Future)
In the Conditional *würde* is used with the Infinitive. The Conditional is often replaced by the Imperfect Subjunctive, e.g.
Ich wünschte, er käme bald. I wished he would come soon.

(e) PERFECT SUBJUNCTIVE
Formed from the Present Subjunctive of *haben* or *sein* with the Past Participle of the verb concerned.

(f) PLUPERFECT SUBJUNCTIVE
Formed from the Imperfect Subjunctive of *haben* or *sein* with the Past Participle of the verb concerned.

77. The Subjunctive in main clauses is used :

(a) to express wishes either not fulfilled or impossible to fulfil :

Das wäre schön.	That would be nice.
Wäre er doch nicht so langsam!	If only he were not so slow !
Hätte er es doch früher gesagt!	If only he had said so before !

(b) to make a cautious statement :

Das könnte sein.	That could be.
Das wäre wohl das Beste.	That would be best.
Es dürfte nicht schwer sein.	It should not be difficult.

(c) in certain set phrases:

Gott segne dich.	God bless you.
Es lebe . . .	Long live . . .
Er (sie) lebe hoch, hoch, hoch!	Three cheers for . . .
Koste es, was es wolle.	Whatever it may cost.

78. The Subjunctive in subordinate clauses is used:

(a) to express wishes:

Ich wünsche,	*ich wäre dort.*	I wish	I were there.
Ich wünschte,	*er hätte es getan.*	I wished	he had done it.
	sie könnte hingehen.		she could go there

(b) in indirect speech to express doubt or uncertainty and to imply that what has been said is not necessarily a fact:

Er sagt, er sei krank. He says he is ill.
Er sagte, er hätte keine Zeit. He said he had no time.
Er fragt, ob er es morgen bekommen könne (or *könnte*).
He asks if he could get it to-morrow.

(c) after *als ob* and *als wenn*:

Er tut, als ob er nicht höre. He pretends not to hear.
Sie sieht aus, als ob sie viel durchgemacht habe (or *hätte*).
She looks as if she had suffered a great deal.

(d) In the past tense of Conditional sentences:

Wenn ich genug Geld hätte, würde ich es kaufen.
If I had enough money, I would buy it.

Wenn ich könnte,	*würde ich es tun.*	If I could I would do it.
	täte ich es.	

WORD ORDER

79. THE VERB

Unless it starts a question or a request, the verb is the second item in a sentence. If the verb is in a compound tense—consisting of an auxiliary verb in conjunction with either the Infinitive or the Past Participle—the auxiliary becomes the second item and the Infinitive or Past Participle goes to the end of the sentence.

'The first item may be a single word, a group of words or a sub-ordinate clause, e.g.

1   2
Ich gehe morgen ins Theater.

1   2
Unsere Eltern sind gestern im Theater gewesen.

1   2
Am dritten Oktober wird sie abfahren.

1   2
Wenn er kommt, bringt er immer Blumen mit.

NOTE: Words like *und, aber, oder, denn,* which merely connect sentences, do not count in deciding the position of the verb, e.g. *er kann nicht kommen, denn er ist krank.*

80. THE VERB IN SUBORDINATE CLAUSES

In subordinate clauses the verb (or auxiliary) is at the end of the clause, e.g.

> *Ich weiß nicht, wann er kommen wird.*
> *Ich möchte wissen, wer das getan hat.*

Note that when the verb has a compound form the Infinitive or Past Participle precedes the auxiliary in a subordinate clause.

There are two exceptions to this rule:

(1) Subordinate clauses used without a conjunction:

> Instead of: *Wenn Sie sich nicht wohl fühlen, legen Sie sich hin.*
> we can say: *Fühlen Sie sich nicht wohl, so legen Sie sich hin.*
> Instead of: *Wenn ich das gewußt hätte, wäre ich früher ge-kommen.*
> we can say: *Hätte ich das gewußt, wäre ich früher gekommen.*
> Instead of: *Er sagt, daß er krank sei.*
> we can say: *Er sagt, er sei krank.*

(2) The auxiliary precedes a double Infinitive:

> *Sie sagt, daß sie nicht früher hätte kommen können.*
> or *Sie sagt, sie hätte nicht früher kommen können.*

81. NOUNS AND PRONOUNS

(1) If there are two objects, both of which are nouns, the Dative precedes the Accusative, e.g.

Ich schenke meinem Vater ein Buch.

(2) If one object is a pronoun and the other a noun, the pronoun precedes the noun, e.g.

Ich habe ihm einen Brief geschrieben.

(3) If both objects are pronouns the Accusative pronoun precedes the Dative pronoun, e.g.

Ich gebe es ihr.

82. ADVERBIAL EXPRESSIONS

They are placed in the following order: TIME, MANNER, PLACE.

Wir fahren nächste Woche mit dem Auto nach Spanien.

| TIME | MANNER | PLACE |

83. POSITION OF *nicht*

(1) *Wir kommen morgen nicht in die Schule.*
(2) *Sie spielen heute nicht.*
(3) *Warum spielst du nicht mit?*
(4) *Sie werden morgen auch nicht kommen.*
(5) *Sie sind letzte Woche auch nicht gekommen.*

Nicht precedes the word which it makes negative. If the verb is made negative, *nicht* is at the end of the sentence, but it *precedes* a separable prefix, an Infinitive and a Past Participle.

HOW TO TRANSLATE:

84. TO KNOW

Kennen Sie diesen Herrn? Do you know this gentleman?
Kennen Sie die Schweiz gut? Do you know Switzerland well?
Kennen Sie „Die Zauberflöte"? Do you know "The Magic Flute"?
Wissen Sie, wer dieser Herr ist? Do you know who this gentleman is?
Wissen Sie, wie man das aufmacht? Do you know how to open this?
Wissen Sie, wo er wohnt? Do you know where he lives?

NOTE ALSO:

Ich möchte ihn gern kennen lernen.
I should like to make his acquaintance.

Von Chemie verstehe ich nichts.
I do not know anything about chemistry.

Wissen (wußte, gewußt) is "to know" in the sense of "to have knowledge of".

Kennen (kannte, gekannt) has the sense of "to be acquainted with".

Kennen lernen is "to get to know, to become acquainted".

85. TO LIKE

Wie gefällt Ihnen dieses Bild? How do you like this picture ?
Wie hat es Ihnen in Österreich gefallen? How did you like Austria ?
Essen Sie gern Erdbeeren? Do you like strawberries ?
Lesen Sie gern Tolstoi? Do you like reading Tolstoi ?
Haben Sie Katzen gern? } Are you fond of cats ?
Mögen Sie Katzen? }
Ich mag | *Hunde lieber als Katzen.* I like dogs better than cats.
Ich habe |
Was möchten Sie trinken? What would you like to drink ?
Ich möchte ein Glas Wasser. I should like a glass of water.
Wie schmeckt Ihnen die Suppe? How do you like the soup ?

Gefallen (gefällt, gefiel, gefallen) is "to like someone or something" or "to like being somewhere".

gern essen (trinken, sehen, etc.), "to like doing something".
gern haben or *mögen (mag, mochte, gemocht),* "to be fond of".
ich möchte, "I should like to".
Schmecken, "to taste", expresses "to like something tasted". (See also section **72**.)

86. TO HAVE[1]

Der Zug ist angekommen. The train has arrived.
Wollen Sie mit uns zu Mittag essen? Will you have lunch with us ?
Ich muß um vier hingehen. I have to go there at 4 o'clock.
Nehmen Sie noch ein Stück. Have another piece.
Es wäre besser, wenn Sie es ihm sagten. You had better tell him.

[1] Examples are given only where "have" is not translated by *haben*.

Erkältet sein. To have a cold.
Sich einen Zahn ziehen lassen. To have a tooth out.
Sich etwas machen (schicken, reparieren) lassen.
To have something made (sent, repaired, etc.).

87. TO ASK

Ich möchte Sie gern etwas fragen. I'd like to ask you a question.
Wir müssen nach dem Weg fragen. We have to ask our way.
Ich möchte Sie um einen Gefallen bitten. I'd like to ask you a favour.
Darf ich um Feuer bitten? May I ask for a light ?
Wieviel verlangen Sie dafür? How much are you asking for it ?
Sie verlangen mehr als es wert ist.
You are asking more than it is worth.

Fragen is "to ask a question" ; *bitten (bat, gebeten),* "to request" ;
verlangen, "to demand". *die Bitte,* the request ; *die Frage,* the
question ; *das Verlangen,* the demand.

88. TO GO[1]

Wohin fährt dieser Omnibus? Where does this bus go to ?
Fahren Sie mit dem Zug? Do you go by train ?

Wir machen	*einen Spaziergang.* We are going for	a walk.
	einen Ausflug.	an excursion.
	eine Reise.	a journey.

Er ist verreist. He has gone away (on a journey).

[1] Examples are given only where " go " is not translated by *gehen.*

89. TO LEAVE

Wir fahren morgen ab. We are leaving to-morrow.
Der Zug fährt um acht Uhr ab. The train leaves at 8 o'clock.
Ich gehe um sechs vom Büro fort. | I leave the office at 6.
Ich verlasse das Büro um sechs. |
Lassen Sie ihn nicht allein. Don't leave him alone.
Wir ließen das Gepäck auf dem Bahnhof.
We left the luggage at the station.
Ich habe meinen Schirm dort stehen lassen. I left my umbrella there.
Sie hat ihr Buch liegen lassen. She left her book behind.
Wir müssen jetzt gehen. We have to leave now.
Wir müssen jetzt Abschied nehmen. We have to take leave now.

90. TO GET

Wo kann man hier Obst bekommen? Where can one get fruit here ?
Wir haben noch nicht unsere Post bekommen.
We haven't got our mail yet.
Können Sir mir etwas Briefpapier besorgen?
Can you get me some note-paper ?
Ich kann es Ihnen besorgen. I can get it for you.
Wollen Sie mir meine Brille holen? Will you get me my glasses ?
Wir sind in drei Stunden hingekommen. We got there in three hours.
Wie kommt man da hin? How do we get there ?

Ich habe	*keinen.*	I haven't got	one (pencil, etc.).
	keine.		(pen, etc.).
	keins.		(paper, etc.).
	keine.		any (stamps, etc.).

Bekommen means "to get" in the sense of "to receive", whereas
besorgen implies to" take active steps to obtain something", "to see
to" or "to do what is necessary". *Holen* is "to fetch". " To get to
a place" is *hinkommen*, "to get across" is *hinüberkommen*, etc.
(see section **22**). "To get" in the sense of "to become" is *werden. Er
wird immer dicker.* He is getting fatter and fatter.

91. TO TAKE

Wollen Sie mir bitte den Brief zur Post bringen.
Will you please take this letter to the post for me.
Wie lange dauert die Fahrt? How long does the journey take ?
Es wird nicht lange dauern. It won't take long.
Wollen Sie nicht Ihren Mantel ablegen?
Won't you take off your coat ?

92. TO PUT

Sie können den Mantel aufs Bett legen.
You can put the coat on the bed.
Sie können den Schirm in die Ecke stellen.
You can put the umbrella in the corner.
Wollen Sie bitte den Brief in den Kasten stecken.
Will you please put the letter in the letter box.
Zieh deinen Mantel an. Put on your coat.
Setz' deinen Hut auf. Put on your hat.

139

Legen, "to put in a lying position"; *stellen* "to put in an upright position"; *stecken,* "to slip into"; *anziehen,* "to put on clothing", except hats (*aufsetzen*).

93. TO SEE

Ist Herr X zu sprechen? Can I see Mr. X?
Ich verstehe nicht, wozu das dient. I don't see what this is for.
Verstehen Sie? Do you see?
Jemand nach Hause begleiten. To see someone home.
Jemand besuchen. To come to see someone.
Auf baldiges Wiedersehen. See you soon.
Dafür sorgen, daß . . . To see to it that . . .

94. TO SUCCEED

Es gelingt ihm nie. He never succeeds.
Es ist uns wieder gelungen. We succeeded again.

Gelingen, gelang, gelungen is an impersonal verb and the person who succeeds is expressed in the Dative case.

95. TO LIVE

Wir wohnen in der Albrechtstraße. We live in Albrecht Street.
Ich habe vor dem Krieg in Frankreich gelebt.
Before the war I lived in France.

Leben is the general word for "to live".

Wohnen is used in the sense of "to dwell". To ask for someone's address you say *Wo wohnen Sie?*

96. TO MEET

begegnen+Dat. = to meet accidentally.

treffen, traf, getroffen+Acc. = to meet either accidentally or by appointment.

sich (Acc.) *treffen* = to meet by appointment.

Ich habe ihn in der Kaiserstraße getroffen (by accident or by appointment).

Ich bin ihm in der Kaiserstraße begegnet (accidentally).

Wir haben uns in der Kaiserstraße getroffen (by appointment).

97. TO SPEND

Wir haben unsere Ferien an der See verbracht.
We spent our holidays at the seaside.

Wir haben viel Geld ausgegeben. We spent a lot of money.

verbringen, verbrachte, verbracht = to spend (time).
ausgeben (gibt aus), gab aus, ausgegeben = to spend (money).
There is also a verb *spendieren* which means "to treat someone".

98. MYSELF, YOURSELF, etc.

ich selbst	I myself	*er selbst*	he himself
du selbst	} you yourself	*sie selbst*	{she herself
Sie selbst			{they themselves
ihr selbst	} you yourselves	*wir selbst*	we ourselves
Sie selbst			

Sie hat sich ein Kleid gemacht. She made herself a dress.
Sie hat es selbst gemacht. She made it herself.

The last two examples show the difference between the reflexive verb and the use of *selbst*. You may have both in one sentence and say of a little boy,
Er kann sich noch nicht selbst ankleiden. He cannot dress himself yet.

If *selbst* precedes a noun or pronoun it means "even."
Selbst ein Kind kann das. Even a child can do that.

99. RIGHT

Die rechte Hand. The right hand.
Die erste Straße rechts. The first street on the right.
Die richtige Zeit. The right time.
Diese Uhr geht nicht richtig. This watch is not right.
Sie haben recht. You are right.

recht(s), "right" (not left) ; *richtig*, "right" (not wrong) ; *recht haben*, "to be right". Note also :

Wenn es Ihnen recht ist, if it is agreeable to you.
Es ist mir recht. I agree to it.

100. SAME

Ist dies derselbe Käse, den wir gestern hatten?
Is this the same cheese as we had yesterday ?

Ist dies dieselbe Bluse, die Sie gestern anhatten?
Is this the same blouse as you had on yesterday?
Ist dies dasselbe Kleid? Is this the same dress?
Noch ein Glas aus derselben Flasche.
Another glass from the same bottle.
Ein halbes Pfund von denselben Bonbons, die wir gestern hatten.
Half a pound of the same sweets as we had yesterday.

Derselbe, dieselbe, dasselbe, etc., are two words written together.
Der, die, das are fully declined and *–n* is added according to the rules
about terminations of adjectives (see section **14**).

101. SUCH

ein solcher Nagel	or *solch ein Nagel*	such a nail
eine solche Nadel	or *solch eine Nadel*	such a needle
ein solches Band	or *solch ein Band*	such a ribbon

solche Nägel (*Nadeln, Bänder*), such nails (needles, ribbons).

Solch –er, –e, –es is an adjective which takes the usual endings of
adjectives.

Solch is an alternative form which is undeclinable and used like
the English "such".

102. SOME, ANY

Haben Sie frische Brötchen? Have you any fresh rolls?
Es ist Brot da. There is some bread.
Es sind keine Brötchen da. There aren't any rolls.
Ich habe kein Geld. I haven't any money.
Hast du welches? Have you any?
Wir haben keine Milch. We haven't any milk.
Hast du welche? Have you any?
Wir haben keinen Salat. We haven't any salad.
Hast du welchen? Have you any?
Gibt es etwas Gutes im Kino?
Is there anything good on in the cinema?
Wir haben einige interessante Leute kennen gelernt.
We met some interesting people.
Können Sie mir einige Streichhölzer geben?
Can you give me some matches?
Es sind welche in der Schublade. There are some in the drawer.

etwas, some(thing), any(thing).

einige, some (used of a number of persons or things).

Nouns used with *einige* are replaced by *welche*.

NOTE ALSO:

Irgend etwas *Irgendwas* }	Anything. No matter what.
Irgendwo	Anywhere. No matter where.
Irgendwer *Irgendjemand* }	Anyone. No matter who.
Irgendwann	Anytime. No matter when.
Irgendwie	Anyhow. No matter how.

103. IF, WHEN

Wenn das Wetter schlecht ist, werden wir zu Hause bleiben.
If the weather is bad, we shall stay at home.
Ich weiß nicht, ob er kommen wird. I don't know if he will come.

"If" in the sense of "whether" is *ob*, otherwise *wenn*.

For the difference between *wenn*, *als* and *wann* see section **45**.

104. ONLY

Wir haben nur 23 Mark gesammelt.
We collected only 23 Marks.

Wir haben erst 23 Mark gesammelt.
We have collected (so far) only 23 Marks.

The difference between *nur* and *erst* is that *nur* means "only" in the sense of "the total being not more than", whereas *erst* suggests that more is to follow.

With regard to time, only *erst* can be used.

Er ist erst achtzehn Jahre alt. He is only eighteen years old.
Es ist erst fünf Uhr. It is only five o'clock.

105. BUT

Er kommt nicht heute, sondern morgen.
He is not coming to-day but to-morrow.
Ich komme gern, kann aber nur kurze Zeit bleiben.
I should like to come but can only stay a short while.

Note that *sondern* is used after a negative and in contradiction to it. See also page 65, Note 4.

LETTER WRITING

THE DATE: *Den 16. April* 196-   or 16.4.6-

THE OPENING: (to strangers)   *Sehr geehrter Herr!*
                                          Sehr geehrte gnädige Frau!
                                          Sehr geehrtes gnädiges Fräulein!
             (to a firm)   *Sehr geehrte Herren!*[1]
             (to acquaintances)   *Lieber Herr Müller!*
                                          Liebe Frau Müller!
                                          Liebes Fräulein Müller!
             (to intimate friends)   *Lieber Karl — Liebe Grete!*

THE ENDING: (to strangers)   *Mit vorzüglicher Hochachtung,*
                                          or *Hochachtungsvoll,*
            (to acquaintances)   *Mit freundlichen Grüßen,*
            (to friends)   *Mit herzlichem Gruß,*

THE ADDRESS:

Herrn   Karl Schmidt   Frankfurt a/Main   Kaiserallee 23

Please forward	*Bitte nachsenden*
To be called for	*Postlagernd*
Care of . . .	*Bei . . .*
Express	*Per Eilboten*
Airmail	*Per Flugpost*
Registered	*Einschreiben*
Sender	*Absender*
Printed matter	*Drucksache*

[1] frequently omitted in modern business correspondence.

144

(1)   *Kingston, den 21. März 196-*

An das Städtische¹ Verkehrsamt,²
   Bad Nauheim.

   *Meine Frau und ich beabsichtigen³ die Zeit vom 25ten August bis
zum 8ten September in Nauheim zu verbringen⁴ und wir wären Ihnen
sehr dankbar⁵ für die Adressen einiger Hotels oder Pensionen, die zu
dieser Zeit Zimmer frei haben.*
   *Auch bitten wir um einige Angaben⁶ über den Ort und seine Umge-
bung,⁷ insbesondere⁸ über Bäder, Spaziergänge und Ausflüge. Auch
würde mich interessieren, ob ein Golfplatz in der Nähe ist.*
   *Ich füge einen internationalen Antwortschein für das Porto⁹ bei¹⁰ und
danke Ihnen im Voraus¹¹ für Ihre freundlichen Auskünfte.¹².*

                                   Hochachtungsvoll,
                                      Charles Barker,
                                      418, *Kenyon Rd.,*
                                         Kingston,
                                           Surrey

¹ municipal.
² enquiry office (*n.*).
³ intend.
⁴ to spend.
⁵ grateful.
⁶ *die Angabe, –n,* detail.

⁷ surroundings.
⁸ especially.
⁹ postage.
¹⁰ *beifügen* (sep.), to enclose.
¹¹ in advance.
¹² *die Auskunft, ⁼e,* information.

(2)

Hotel Waldrand,
   Beatenberg,
      Berner Oberland.

   *Ich verdanke¹ Ihre Adresse dem dortigen² Verkehrsamt und wäre
Ihnen dankbar, wenn Sie mir einen Pauschalpreis³ für unsere fünf-
köpfige⁴ Familie angeben⁵ würden. Die Familie besteht⁶ aus zwei
Erwachsenen⁷ und drei Kindern im Alter von dreizehn, neun and fünf
Jahren. Wir benötigen⁸ zwei Zimmer: eins mit drei Betten, das andere
mit einem Doppelbett.*
   *Wir würden für drei Wochen entweder im Juli oder September kommen
und könnten uns nach Ihren Preisen sowie der Verfügbarkeit⁹ der Zimmer*

¹ owe (i.e. have received).
² *dortig,* of your locality ; opposite=
   hiesig.
³ inclusive price.
⁴ of five (*lit.* five-headed).
⁵ to indicate.

⁶ *bestehen aus, bestand, bestanden*
   to consist of.
⁷ *der Erwachsene, –n,* adult.
⁸ require.
⁹ (*f.*) availability.

richten.[10] *Ich hoffe, daß Sie uns in Anbetracht*[11] *unserer Anzahl*[12] *eine erhebliche*[13] *Preisermäßigung*[14] *gewähren*[15] *können.*

Dürfte ich Sie auch um einige Angaben über Ihr Hotel bitten. Welchen Komfort haben die Zimmer? Fließendes[16] *Wasser? Bad? Gibt es besondere*[17] *Menus für Kinder?*

Auch bitte ich Sie, anzugeben ob Bedienung[18] *und Kurtaxe im Pensionspreis einbegriffen*[19] *sind; falls*[20] *nicht, wieviel diese betragen.*[21]

Im Voraus bestens dankend,
mit vorzüglicher Hochachtung,

[10] *sich richten nach,* to conform with.
[11] in view of.
[12] (*f.*) number.
[13] considerable.
[14] (*f.*) price reduction.
[15] grant.
[16] running.
[17] special.
[18] (*f.*) service.
[19] included.
[20] if.
[21] amount to.

(3)

Ich bestätige[1] *den Empfang*[2] *Ihres Schreibens vom 8ten Juni und danke Ihnen bestens für die Angaben über Ihr Hotel.*

Ich bitte, mir vom ersten bis 21ten September einschließlich,[3] *zwei Zimmer im dritten Stock zu reservieren, eins mit Doppelbett, das andere mit drei Betten für die Kinder. Beide Zimmer mit fließendem Wasser und zu einem Pauschalpreis von 36,50 Schweizer Franken pro Tag, Kurtaxe und Bedienung einbegriffen.*

Wir kommen mit dem Zug, der um 16 Uhr 35 in Interlaken eintrifft.[4]

[1] confirm.
[2] receipt.
[3] inclusive.

[4] *eintreffen (trifft ein), traf ein, ist eingetroffen,* to arrive.

EXERCISES

I

A. *Answer in German*:
1. Wann haben Sie dieses Jahr Ferien?
2. Haben Sie Ihre Ferien schon gehabt?
3. Können Sie Ihre Ferien zu jeder Zeit haben?
4. Wohin fahren Sie lieber, aufs Land oder an die See?
5. Was muß man rechtzeitig tun, wenn man in der Hauptsaison reist?
6. Waren Sie mal in der Schweiz?
7. Wissen Sie, wie die Hauptstadt der Schweiz heißt?
8. Kennen Sie Österreich?
9. Was möchten Sie zum Abendbrot essen?
10. Haben Sie Lust, heute abend tanzen zu gehen?

B. *Say in German*:
1. This year we go to the seaside.
2. Last year we went to the mountains.
3. I would like to go to the country.
4. Would you like to go swimming?
5. Two years ago we were in Switzerland.
6. We liked it very much there.
7. How did your sister like her stay in Austria?
8. She liked it very much.
9. Would you like a pear (a cup of tea, an apple, strawberries)?
10. I should like to go to the cinema to-night.
11. Do you know this man (this woman, this child)?
12. I do not know him (her, it, them).
13. Do you know a good hotel in this place?
14. I know one in the main street, but I don't know what it is called.

II

Answer in German:
1. In welcher Jahreszeit sind wir?
2. Können Sie mir einen ruhigen Ort empfehlen, von dem aus man schöne Waldspaziergänge machen kann?
3. Haben Sie unlängst (*recently*) einen Film gesehen, den Sie mir empfehlen können?
4. Was ziehen Sie vor, im Schwimmbad zu baden oder in der See?
5. Was ziehen Sie vor, mit der Eisenbahn zu fahren oder zu fliegen?

6. Wie ist das Klima hier im Sommer ?
7. Müssen Sie früh aufstehen ?
8. Können Sie mir ein gutes Restaurant empfehlen ?
9. Welche Länder möchten Sie gern kennen lernen ?
10. Wissen Sie, wie das Wetter im Frühling in Sizilien ist ?

III

A. *Insert the missing words* :

1. Es ist oben sehr schön. Kommen Sie auch ——— ?
2. Es ist unten schön kühl. Kommen Sie auch ——— ?
3. Es ist draußen zu kalt. Kommen Sie doch ———.
4. Es regnet nicht mehr. Gehen wir ——— ?
5. Hier ist die Adresse, schreiben wir ———.
6. Sie kleidet sich um. Du kannst jetzt nicht ———.
7. Du bist schon eine halbe Stunde im Badezimmer. Wann wirst
   du endlich ——— ?
8. Die Aussicht soll dort herrlich sein. Wir sollten mal da ———.

B. *Say in German* :

1. It seems to be a good hotel.
2. It doesn't seem to be too expensive.
3. He seems a pleasant man.
4. Would it not be better to go there to-day ?
5. We could go up there one day.
6. I should like to go there to-morrow.
7. When will you come here again ?
8. Would you like to go there again ?
9. Please come up again.
10. Won't you come out ?
11. It is too cold to remain outdoors.
12. Let's go in.
13. He says that they are upstairs.
14. Wouldn't it be better to go up by cable railway ?
15. How nice of you to drive me down.

IV

A. *Answer in German* :

1. Wohin fahren Herr und Frau Hammond ?
2. Hat ihnen jemand diesen Ort empfohlen ?
3. An wieviel Hotels schreiben sie ?
4. Woher haben sie die Adressen dieser Hotels ?
5. Was tut ihr Mann gewöhnlich, wenn Frau Hammond abwäscht ?

6. Helfen Männer gewöhnlich ihren Frauen beim Abwaschen ?
7. Für welches Hotel haben sie sich entschieden ?
8. Warum werden sie nicht mit dem Auto fahren ?
9. Sind sie schon mal geflogen ?
10. Wo wird Herr Hammond die Flugkarten besorgen ?

B. *Say in German* :
1. I would rather go by train.
2. I would fly if I had the money.
3. She would have come up if she had time.
4. I shall wash up whilst you are writing to the hotels.
5. You need not go up there. They will come down here.
6. We ought to go there one day .
7. Let's try it.
8. Will you get the tickets ?
9. The difference in price is very slight.
10. There are car owners who take people and share expenses with them.

V

A. *Answer in German* :
1. Wie lange dauert es, von Europa nach Amerika zu fliegen ?
2. Warum fahren Hammonds in der Nacht ?
3. Wann werden sie in Zürich ankommen ?
4. Was werden sie dort tun ?
5. Was braucht man, wenn man auf die Berge klettern will ?
6. Was will Herr Hammond kaufen ?
7. Was soll seine Frau nicht mitnehmen ?
8. Nehmen Sie viel Gepäck mit auf die Reise ?
9. Was findet Frau Hammond unvorstellbar ?
10. Können Sie sich vorstellen, wie man in 100 Jahren reisen wird ?

B. *Say in German* :
1. I am not taking my old shoes with me.
2. I shall buy myself a new pair.
3. You don't need your old suitcase any more.
4. It is time you bought a new one.
5. Above all, don't forget to take some stout mountaineering boots.
6. We shall have time to see the town.
7. How long will the journey take ?
8. At what time do we arrive ?
9. Is one suitcase enough ?
10. You must not take any useless things.

A. *Answer in German* :

1. Sind Sie reisefertig ?
2. Wo wird das Gepäck gewogen ?
3. Wo versammeln sich die Fahrgäste ?
4. Wer begleitet sie ?
5. Was müssen die Flugpassagiere tun, wenn es losgeht ?
6. Was bietet die Luftstewardeß ihnen an ?
7. Wie finden sie den Kaffee ?
8. Warum trinkt Herr Hammond nur eine Tasse ?
9. Woher kommt das Licht, das sie unten sehen ?
10. Wie fühlt sich Frau Hammond ?

B. *Say in German* :[1]

1. How do you feel ?
2. Don't you feel well ?
3. Please help me to take the suitcase down.
4. Will someone come to meet you ?
5. Has your luggage been weighed ?
6. Are you ready to start on your journey ?
7. May I ask you for another cup of coffee ?
8. Did the doctor forbid you to drink more than one glass of wine ?
9. would you like some refreshments ?
10. Do you see the light up there ?

[1] Use both the polite and the familiar forms, in singular and plural.

A. *Answer in German* :

1. Wo findet die Zollkontrolle statt ?
2. Hat jemand etwas zu verzollen ?
3. Wohin fahren sie vom Flugplatz ?
4. Wo frühstücken sie ?
5. Was gibt es zum Frühstück ?
6. Was tun sie nach dem Frühstück ?
7. Warum will Herr Hammond zuerst keine Rückfahrkarten nehmen ?
8. Wozu berechtigt das Schweizer Ferienbillet ?
9. Wo lassen sie das Gepäck ?
10. Was für eine Aussicht hat man vom Seeufer ?

B. *Say in German* :

1. We decided to stay a fortnight.
2. If you stay more than a week, you will get a reduction.
3. We arrived in time.
4. The coffee is better here than in our hotel.

5. I have to make some enquiries at the booking office.
6. Will it be cheaper if we take return tickets ?
7. Perhaps we shall choose another route for the way back.
8. Could I leave my luggage here for half an hour ?
9. We admired the view over the lake and the mountains behind it.
10. We went for a walk through the shopping streets.

VIII

A. *Change the following sentences* (1) *into the Perfect tense,* (2) *into
the Passive voice* :

1. Ein Beamter wiegt das Gepäck.
2. Mein Onkel holt uns mit seinem Wagen ab.
3. Er bringt uns zum Flugplatz.
4. Man serviert das Frühstück auf dem Zimmer.
5. Sie wäscht jeden Abend ihre Strümpfe.
6. Er schaut sich die Bilder an.
7. Man bietet uns Erfrischungen an.
8. Der Arzt gibt dem Patienten ein Mittel gegen Kopfschmerzen.
9. Die Geschäfte schließen um halb sechs.

B. *Say in German* :

1. We have to enquire at what time the train arrives.
2. Could you tell me at what time the next train leaves for Basel ?
3. Please help me to lift this suitcase.
4. It is very kind of you.
5. May I offer you a piece of chocolate ?
6. Do we have to change ?
7. Will the shops be open ?
8. I wish I could take off my shoes.
9. You could have your shoes repaired in town.
10. We shall have to go on.
11. The landscape is getting more and more beautiful.
12. What a pity that we haven't sufficient time to see the town.

IX

A. *Answer in German* :

1. Was taten Hammonds, als sie in Spiez ankamen ?
2. Warum fuhren sie nicht gleich weiter ?
3. Wozu entschlossen sie sich ?
4. Warum fuhren sie nicht mit der Straßenbahn ?

5. Wonach erkundigten sie sich ?
6. Was hätten sie sparen können ?
7. Woraus besteht das billigere Menü ?
8. Wodurch unterscheiden sich die beiden Menüs ?
9. Was bestellen die beiden ?
10. Was fragt Herr Hammond die Kellnerin ?

B. *Say in German* :
1. Could you recommend me a good restaurant ?
2. Will it not be too expensive ?
3. You will be able to live there more cheaply.
4. We could have saved the money.
5. Let's see what's on the menu.
6. I am a stranger here.
7. Could you please tell me what that means ?
8. Does the bus going to Aeschi stop here ?
9. This is the hotel they recommended to us.
10. I don't like this one. I like the other better.

X

A. *Replace the missing words* :
1. Wir sind oben. Kommen Sie auch ——.
2. Ich bin draußen. Komm doch auch ——.
3. Er ist unten. Ich gehe zu ihm ——.
4. Sie ist drüben. Ich gehe zu ihr ——.
5. Ohne Schlüssel kann man nicht ——.
6. Diese Stufen führen ——.
7. Über diese Brücke kann man ——.
8. Wir gehen zum Frühstück ——.

B. *Say in German* :
1. I should like the same room as I had last year.
2. I prefer a front room.
3. Shall I not be disturbed by the traffic?
4. Will you please show me the room ?
5. At what time do we have to be back for dinner ?
6. Where do we get our breakfast ?
7. If you wish you may go up by lift.
8. I shall be able to walk up.
9. I came back dead tired.
10. What do we get for breakfast

XI

A. *Insert the appropriate form of the adjectives* hoch, schön, nahe, gut interessant, billig :

1. Welcher Berg ist ——, die Jungfrau oder das Matterhorn ?
2. Hier ist die Aussicht am ——.
3. Welcher Weg ist —— ?
4. Ist dies die —— Wanderkarte der Gegend ?
5. Ist der Mont Blanc der —— Berg in Europa ?
6. Von diesen Büchern werden Sie dieses am —— finden.
7. Diese Äpfel sind zu teuer. Haben Sie keine —— ?
8. In diesem Geschäft ist das Obst am ——.

B. *Say in German* :

1. What we should like to do is to make a whole-day excursion.
2. Could you show me the way on this map ?
3. Thank you for all your trouble.
4. Is this the nearest way ?
5. The other is nearer, but this one is more beautiful.
6. The view is best in the evening.
7. We should like to get to know this area first.
8. I asked how much I owed him.
9. He replied that the list was free of charge.
10. She said that she could not give change for 100 francs.

XII

A. *Insert the correct forms of* ein, kein, mein, sein, Ihr :

1. Haben Sie —— Bleistift? Ich habe ——. Da ist ——.
2. Ich habe —— Füllfeder zu Hause gelassen. Haben Sie —— mit ?
3. Sind dies —— Handschuhe oder —— ?
4. Dies ist —— Glas. Das ist ——.
5. Dies ist —— Platz. Da ist ——.
6. Dies sind —— Sachen. Da sind ——.
7. Ich habe —— Wörterbuch. Haben Sie auch —— ?
8. Ich habe —— guten Stock. Haben Sie —— ?
9. Ich habe —— Bergstiefel. Haben Sie auch —— ?
10. Sie haben —— Brot mehr. Nehmen Sie von ——.

B. *Say in German* :

1. Do you have to be back early ?
2. Why are you not writing with your pen ?
3. I cannot find mine.
4. This is yours. Don't write with mine.

5. Here are three keys : yours, his and mine.
6. May I have my key please ?
7. Could you please tell me the way to the station ?
8. Take the first turning on the left and then go straight ahead.
9. I have lost my way. Could you show me the right way to X ?
10. Let's have a rest. There is a seat over there. We can sit down there.

XIII

A. *Answer in German* :

1. Wozu hatten Herr und Frau Hammond sich eingetragen ?
2. Wohin begaben sie sich ?
3. Warum hupte der Fahrer ständig ?
4. Was für eine Aussicht hatten sie von der Anhöhe ?
5. Wo wurde Station gemacht ?
6. Was kann man von Bassin zu Bassin gehend beobachten ?
7. Wie war das Wetter, als sie in Kandersteg ankamen ?
8. Gehen Sie bei strömendem Regen aus ?
9. Wo suchten sie Schutz ?
10. Hatte sich der Ausflug gelohnt ?

B. *Say in German* :

1. We started off immediately after breakfast.
2. We arrived late in the evening.
3. At first we walked uphill.
4. Then we climbed up a steep height.
5. When we came back it started raining.
6. We had no other choice but to go back to the hotel.
7. We went in spite of the bad weather.
8. Because of the holiday the shops are closed.
9. How long will it take to reach the top ?
10. Is it worth-while to go up there ?

XIV

A. *Replace the nouns in italics by pronouns* :

1. Wie geht es *Ihrem Bruder*?
2. Geht es *Ihren Eltern* gut ?
3. Was fehlt *Ihrer Schwester*?
4. Bitte grüßen Sie *Ihre Mutter* von mir.
5. Wir haben *Ihren Lehrer* getroffen.
6. Ich habe *Herrn und Frau Müller* in Mainz kennen gelernt.
7. Zum Frühstück erschien er ohne *seine Frau*.
8. Was fehlt *Ihrer Frau*?
9. Bitte bestellen Sie *Ihrem Vater*, daß wir ihm gute Besserung wünschen.
10. Bitte warten Sie auf *meinen Vater (meine Mutter, meine Eltern)*.

154

B. *Say in German* :

1. How is your sister (brother) ?
2. She (he) has a sore throat.
3. I am sorry to hear that.
4. Please give her (him) my best regards and convey to her (him) my best wishes for a speedy recovery.
5. We shall meet in front of the station.
6. I should like to make her acquaintance.
7. If she likes I can meet her here.
8. If you don't mind we can start now.
9. Where could I get something for a headache ?
10. At the chemist's you will get something that will help her.

XV

A. *Answer in German* :

1. Warum sind Hammonds früh aufgestanden ?
2. Wer hat sie zum Bahnhof gebracht ?
3. Mit was für einer Bahn fuhren sie zuerst ?
4. Was mußten sie in Lauterbrunnen tun ?
5. Was sahen sie zu beiden Seiten der Bahn ?
6. Wem wurde schwindlig ?
7. Wird Ihnen schwindlig, wenn Sie einen steilen Abgrund hinunterschauen ?
8. Was für eine Aussicht hatten sie in Wengen ?
9. Was für ein Ort ist Grindelwald ?
10. Was hatten sie zum Glück mitgenommen ?
11. Wie muß man sich für einen solchen Ausflug anziehen ?
12. Wie hoch ist das Jungfraujoch ?
13. Wie war die Aussicht dort ?
14. Wovon waren sie umgeben ?

B. *Say in German* :

1. We started shortly after half past six.
2. I was glad when we arrived.
3. When we left, it started raining.
4. Do you feel giddy ?
5. Is your uncle not feeling well ?
6. Did you go up by the narrow-gauge railway ?
7. Where did you change ?
8. Did you go still higher up ?
9. Did you take your sun-glasses with you ?
10. Did you put on warm clothes ?

XVI

A. *Answer in German* :

1. Wo läßt man ein Rezept anfertigen ?
2. Wo läßt man seine Uhr reparieren ?
3. Wie oft ziehen Sie Ihre Uhr auf ?
4. Was kauft man in einem Schreibwarengeschäft ?
5. Wo kann man Reiseschecks einlösen ?
6. Wo bekommt man Theaterkarten ?
7. Wo sitzen Sie lieber im Theater, oben oder unten
8. Was für Plätze haben Sie am liebsten ?

B. *Insert the missing endings* :

1. Hamburg ist größ– als Köln.
2. London ist die größt– Stadt der Welt.
3. Ich kaufe hier einen seiden– Schal.
4. Ist dies echt– Seide ?
5. Haben Sie nichts Besser– ?
6. Ist dies der best– ?
7. Zeigen Sie mir etwas Billiger–.
8. Sind dies die billigst–, die Sie haben ?

C. *Say in German* :

1. How do you like her new hat ?
2. I don't like it.
3. I should like a new briefcase.
4. That is not quite what I am looking for.
5. Haven't you got anything stronger ?
6. Is it real leather ?
7. Is this the best you have ?
8. I like better the one I saw in the window.

XVII

A. *Answer in German* :

1. Wie lange lernen Sie schon deutsch ?
2. Seit wann haben Sie dieses Buch ?
3. Wo haben Sie Ihre letzten Sommerferien verbracht ?
4. Wie hat es Ihnen dort gefallen ?
5. Was haben Sie heute abend vor ?
6. Haben Sie Lust, heute schwimmen zu gehen ?
7. Ist hier ein Schwimmbad in der Nähe ?
8. Warum kann Herr Hammond nicht schwimmen gehen ?
9. Was tut er, während seine Frau im Schwimmbad ist ?
10. Warum kann Frau Hammond nicht länger bleiben ?

B. *Say in German* :
  1. Did you make this yourself ?
  2. I like it very much.
  3. We have to leave on the 13th.
  4. Could you not stay a little longer ?
  5. I shall have to be back on Monday.
  6. Will you come back here next year ?
  7. For how long will you stay in Austria ?
  8. How did your husband like it there ?
  9. He broke his arm falling (*say* : when he fell) down a slope.
  10. I am sorry to hear that.

XVIII

A. *Combine the two sentences* :
  1. Es hat geregnet. Wir sind zu Hause geblieben.
  2. Es hörte auf zu regnen. Wir gingen spazieren.
  3. Unterwegs begann es wieder zu regnen. Wir stellten uns unter.
  4. Sehen Sie den Herrn dort ? Er ist mein Onkel.
  5. Ob wir nächste Woche wiederkommen werden ? Das wissen wir
     noch nicht.
  6. Es war kalt. Ich ging trotzdem schwimmen.
  7. Sie werden uns besuchen. Ich hoffe es sehr.
  8. Ihre Mutter fühlt sich nicht wohl. Anna hat es mir gesagt.

B. *Say in German* :
  1. We enjoyed ourselves very much.
  2. We thank you for the nice evening.
  3. I hope we shall see you again soon.
  4. I have come to say goodbye.
  5. We shall leave to-morrow morning.
  6. I hope you will let us hear from you.
  7. Will you please write down your address ?
  8. There are the snaps I took of you.
  9. It will remind me of the nice time we had together.
  10. I am very glad to have made your acquaintance.

INDEX

I.   CONVERSATIONAL EXPRESSIONS

The references are to lessons

II.   GRAMMATICAL EXPLANATIONS

The references are to sections